#3주_완성
#쉽게
#빠르게
#재미있게

초등
수학 전략

Chunjae
Makes
Chunjae

▼

[수학 전략]

기획총괄	김안나
편집개발	이근우, 김정희, 서진호, 한인숙, 김현주, 최수정, 김혜민, 박웅, 김정민
디자인총괄	김희정
표지디자인	윤순미, 안채리
내지디자인	박희춘
제작	황성진, 조규영

발행일	2021년 12월 15일 초판 2021년 12월 15일 1쇄
발행인	(주)천재교육
주소	서울시 금천구 가산로9길 54
신고번호	제2001-000018호
고객센터	1577-0902

수학전략

초등 수학 **4·1**

핵심 개념

단원별로 꼭 필요한 핵심 개념을 만화를 보면서
재미있게 익힐 수 있도록 하였습니다.

개념 돌파 전략❶, ❷

개념 돌파 전략❶에서는 단원별로
기본적인 개념을 설명하고 개념의 기초를 확인하는
문제를 제시하였습니다.
개념 돌파 전략❷에서는 기본적인 개념을 알고 있는지
문제로 확인할 수 있습니다.

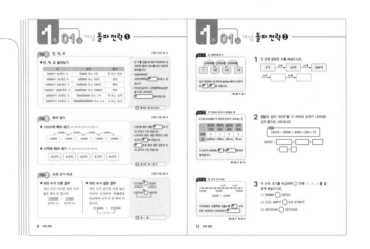

필수 체크 전략❶, ❷

필수 체크 전략❶에서는 단원별로
중요한 유형을 선택하여 반복 연습할 수 있도록
하였습니다.
필수 체크 전략❷에서는 추가적으로
중요한 유형을 선택하여 문제로 확인할 수 있도록
하였습니다.

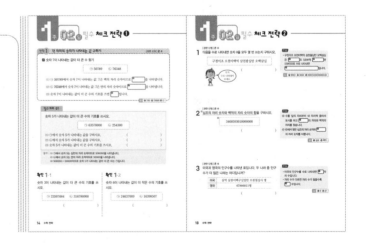

교과서 **대표 전략❶, ❷**

교과서 대표 전략❶에서는 단원별로 교과서에 나오는
대표적인 문제를 제시하였습니다.
교과서 대표 전략❷에서는 한 번 더 확인할 수 있는
문제를 제시하였습니다.

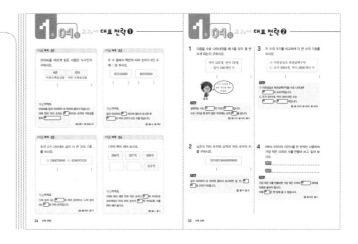

누구나 **만점 전략**
창의·융합·코딩 **전략❶, ❷**

누구나 만점 전략에서는 단원별로 꼭 풀어야 하는
문제를 제시하여 누구나 만점을 받을 수 있도록 하였습니다.
창의·융합·코딩 전략에서는 새 교육과정에서 제시하는
창의, 융합, 코딩 문제를 쉽게 접근할 수 있도록
제시하였습니다.

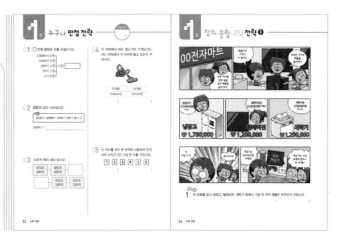

권말정리 마무리 **전략**
신유형·신경향·서술형 **전략**
학력진단 **전략 1~3회**

권말정리 마무리 전략은 만화로
마무리할 수 있게 하였습니다.
신유형·신경향·서술형 전략에서는
신유형, 신경향, 서술형 문제를 쉽게 풀 수
있도록 단계별로 제시하였습니다.
학력진단 전략은 총 3회로 전 단원의 학력을
진단할 수 있도록 구성하였습니다.

이 책의 **차 례**

1주

[관련 단원]
큰 수·곱셈과 나눗셈   6쪽

01일 개념 돌파 전략 ❶ ················· 8~11쪽
        개념 돌파 전략 ❷ ················· 12~13쪽

02일 필수 체크 전략 ❶ ················· 14~17쪽
        필수 체크 전략 ❷ ················· 18~19쪽

03일 필수 체크 전략 ❶ ················· 20~23쪽
        필수 체크 전략 ❷ ················· 24~25쪽

04일 교과서 대표 전략 ❶ ················· 26~29쪽
        교과서 대표 전략 ❷ ················· 30~31쪽

누구나 만점 전략 ································· 32~33쪽
창의·융합·코딩 전략 ❶ ················· 34~35쪽
창의·융합·코딩 전략 ❷ ················· 36~39쪽

2주

[관련 단원]
각도·평면도형의 이동   40쪽

01일 개념 돌파 전략 ❶ ················· 42~45쪽
        개념 돌파 전략 ❷ ················· 46~47쪽

02일 필수 체크 전략 ❶ ················· 48~51쪽
        필수 체크 전략 ❷ ················· 52~53쪽

03일 필수 체크 전략 ❶ ················· 54~57쪽
        필수 체크 전략 ❷ ················· 58~59쪽

04일 교과서 대표 전략 ❶ ················· 60~63쪽
        교과서 대표 전략 ❷ ················· 64~65쪽

누구나 만점 전략 ································· 66~67쪽
창의·융합·코딩 전략 ❶ ················· 68~69쪽
창의·융합·코딩 전략 ❷ ················· 70~73쪽

[관련 단원]

막대그래프 • 규칙 찾기   74쪽

01일   개념 **돌파 전략 ❶** ··············· 76~79쪽

         개념 **돌파 전략 ❷** ··············· 80~81쪽

02일   필수 **체크 전략 ❶** ··············· 82~85쪽

         필수 **체크 전략 ❷** ··············· 86~87쪽

03일   필수 **체크 전략 ❶** ··············· 88~91쪽

         필수 **체크 전략 ❷** ··············· 92~93쪽

04일   교과서 **대표 전략 ❶** ··············· 94~97쪽

         교과서 **대표 전략 ❷** ··············· 98~99쪽

누구나 **만점 전략** ·············· 100~101쪽

창의·융합·코딩 **전략 ❶** ·············· 102~103쪽

창의·융합·코딩 **전략 ❷** ·············· 104~107쪽

                                             108쪽

권말정리 마무리 **전략** ··············· 108~109쪽

신유형·신경향·서술형 **전략** ··············· 110~115쪽

학력진단 **전략** ┌ 1회 ··············· 116~119쪽

                     ├ 2회 ··············· 120~123쪽

                     └ 3회 ··············· 124~127쪽

큰 수,
곱셈과 나눗셈

그림들이 예술이야.

그림 아래에 그림의 가격이 써 있어.

₩52940000

그림 가격이 오이구사영영영영이네.

큰 수는 그렇게 읽는 게 아니야.

뒤에서부터 네 자리씩 끊어서 읽으면 52940000은 오천이백구십사만 이라고 읽어.

그림의 가격이 오천이백구십사만 원인 거네?

엄청 비싸다.

이 미술관은 하루 입장객을 282명으로 제한 한대. 오늘이 전시 20일째야.

₩350000

하루 입장객 수가 계속 282명이었다면 오늘까지 입장객 수는 모두 몇 명이지?

학습할 내용

❶ 만, 다섯 자리 수, 십만, 백만, 천만
❷ 억과 조
❸ 뛰어 세기, 크기 비교

❹ (세 자리 수)×(두 자리 수)
❺ 몇십으로 나누기, 몇십몇으로 나누기
❻ (세 자리 수)÷(두 자리 수)

개념 1 만, 억, 조

[관련 단원] 큰 수

만, 억, 조 알아보기

수	쓰기	읽기
1000이 10개인 수	10000 또는 1만	만 또는 일만
10000이 10개인 수	100000 또는 10만	십만
10000이 100개인 수	1000000 또는 100만	백만
10000이 1000개인 수	10000000 또는 1000만	천만
1000만이 10개인 수	100000000 또는 1억	억 또는 일억
1000억이 10개인 수	1000000000000 또는 1조	조 또는 일조

- 큰 수를 읽을 때 일의 자리부터 네 자리씩 끊어서 표시를 하고 읽으면 편리합니다.
- 45680000은
  사천오백육십❶[   ]이라고 읽습니다.
- 이천오십이억 사천팔백육십삼만을 수로 나타내면
  ❷[   ]0000입니다.

답 ❶ 팔만 ❷ 20524863

개념 2 뛰어 세기

[관련 단원] 큰 수

10000씩 뛰어 세기 → 만의 자리 숫자가 1씩 커집니다.

```
   10000   10000   10000   10000
20000   30000   40000   50000   60000
```

10억씩 뛰어 세기 → 십억의 자리 숫자가 1씩 커집니다.

```
425억 — 435억 — 445억 — 455억 — 465억
```

- 10만씩 뛰어 세면 ❶[   ]의 자리 숫자가 1씩 커집니다.
- 100억씩 뛰어 세면 백억의 자리 숫자가 ❷[ ]씩 커집니다.
- ❸[ ]조씩 뛰어 세면 십조의 자리 숫자가 1씩 커집니다.

답 ❶ 십만 ❷ 1 ❸ 10

개념 3 수의 크기 비교

[관련 단원] 큰 수

자리 수가 다른 경우

자리 수가 다르면 자리 수가 많은 쪽이 더 큽니다.

126000 > 15280
(6자리 수) (5자리 수)

자리 수가 같은 경우

자리 수가 같으면 가장 높은 자리의 숫자부터 차례대로 비교하여 수가 더 큰 쪽이 더 큽니다.

374600 < 379200
└── 4<9 ──┘

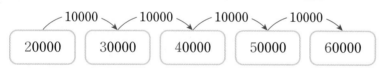

- 512000 ❶◯ 24300
  (6자리 수) (5자리 수)
- 589340 ❷◯ 546780
  └── 8>4 ──┘

답 ❶ > ❷ >

1-1 설명하는 수를 쓰고, 읽으시오.

> 1억이 45개, 1만이 1569개인 수

쓰기 _____

읽기 _____

• **풀이** • 1억이 45개인 수는 ❶ _____ 억, 1만이 1569개인 수는
❷ _____ 만입니다.　　　　　**답** ❶ 45 ❷ 1569

1-2 설명하는 수를 쓰고, 읽으시오.

> 1조가 352개, 1억이 4700개인 수

쓰기 _____

읽기 _____

자리의 숫자가 0일 때는 숫자와 자릿값을 모두 읽지 않습니다.

2-1 얼마씩 뛰어 세었는지 쓰시오.

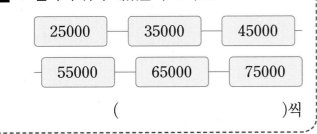

(　　　　　)씩

• **풀이** • ❶ _____ 의 자리 숫자가 ❷ _____ 씩 커지고 있습니다.

답 ❶ 만 ❷ 1

2-2 얼마씩 뛰어 세었는지 쓰시오.

(　　　　　)씩

3-1 두 수의 크기를 비교하여 ◯ 안에 >, <를 알맞게 써넣으시오.

673109 ◯ 875400

• **풀이** • 두 수의 자리 수가 같으므로 가장 ❶ _____ 자리의 수를 비교하면
6 ❷◯ 8입니다.　　　　　**답** ❶ 높은 ❷ <

3-2 ☐ 안에 알맞은 수를 써넣고 두 수의 크기를 비교하여 ◯ 안에 >, <를 알맞게 써넣으시오.

310450000 ◯ 42370659

(☐자리 수)　　　(☐자리 수)

개념 4 곱셈

[관련 단원] 곱셈과 나눗셈

◉ (세 자리 수)×(몇십) – 312×20의 계산

(세 자리 수)×(몇)의 값에 0을 1개 붙입니다.

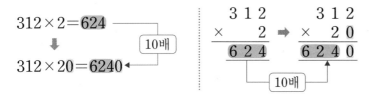

$312 \times 2 = 624$

↓ 10배

$312 \times 20 = 6240$

$$\begin{array}{r} 3\,1\,2 \\ \times \quad 2 \\ \hline 6\,2\,4 \end{array} \Rightarrow \begin{array}{r} 3\,1\,2 \\ \times \quad 2\,0 \\ \hline 6\,2\,4\,0 \end{array}$$

10배

◉ (세 자리 수)×(두 자리 수) – 294×32의 계산

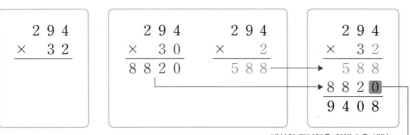

$$\begin{array}{r} 2\,9\,4 \\ \times \quad 3\,2 \end{array}$$

$$\begin{array}{r} 2\,9\,4 \\ \times \quad 3\,0 \\ \hline 8\,8\,2\,0 \end{array} \quad \begin{array}{r} 2\,9\,4 \\ \times \quad 2 \\ \hline 5\,8\,8 \end{array}$$

$$\begin{array}{r} 2\,9\,4 \\ \times \quad 3\,2 \\ \hline 5\,8\,8 \\ 8\,8\,2\,0 \\ \hline 9\,4\,0\,8 \end{array}$$

계산의 편리함을 위해 0을 생략 ←
하여 나타내기도 합니다.

• 곱하는 수를 10배 하면 곱도 10배
가 됩니다.

$134 \times 7 = 938$

$134 \times 70 = $ ❶ ⟵ 10배

$$\begin{array}{r} 3\,1\,1 \\ \times \quad 2\,8 \\ \hline 2\,4\,8\,8 \end{array} \leftarrow 311 \times 8$$

❷ ☐ 0 ⟵ 311×20

❸ ☐

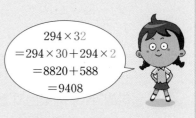

294×32
$= 294 \times 30 + 294 \times 2$
$= 8820 + 588$
$= 9408$

답 ❶ 9380 ❷ 622 ❸ 8708

개념 5 나눗셈

[관련 단원] 곱셈과 나눗셈

◉ (두 자리 수)÷(두 자리 수) – 64÷12의 계산

$12 \times 4 = 48$
$12 \times 5 = 60$
$12 \times 6 = 72$

$$\begin{array}{r} 5 \\ 12\,\overline{)\,6\,4} \\ 6\,0 \\ \hline 4 \end{array}$$

➡ 몫 나머지
$64 \div 12 = 5 \cdots 4$

확인 $12 \times 5 = 60,$
$60 + 4 = 64$

◉ (세 자리 수)÷(두 자리 수) – 531÷22의 계산

$22 \times 23 = 506$
$22 \times 24 = 528$
$22 \times 25 = 550$

$$\begin{array}{r} 2\,4 \\ 22\,\overline{)\,5\,3\,1} \\ 4\,4\,0 \\ \hline 9\,1 \\ 8\,8 \\ \hline 3 \end{array}$$

➡ $531 \div 22 = 24 \cdots 3$
몫 ↑ 나머지 ↑

확인 $22 \times 24 = 528,$
$528 + 3 = 531$

→ 계산의 편리함을 위해 0을 생략
하여 나타내기도 합니다.

• 몫을 1 작게
합니다. ➡ ❶ ☐

$$\begin{array}{r} 5 \\ 19\,\overline{)\,7\,6} \\ 9\,5 \end{array} \quad \begin{array}{r} \\ 19\,\overline{)\,7\,6} \\ \hline \end{array}$$
(뺄 수 없습니다.)   ❷ ☐
              0

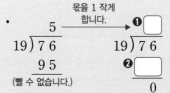

• (나누는 수)×(몫)의 결과에 나머지
를 더하여 나누어지는 수가 되면
바르게 계산한 것입니다.

•

$$\begin{array}{r} ❸☐\,1 \\ 29\,\overline{)\,8\,9\,9} \\ 8\,7 \\ \hline 2\,9 \end{array}$$

❹ ☐
0

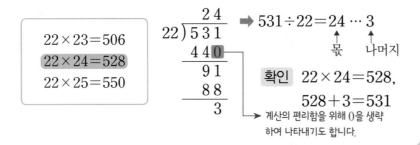

답 ❶ 4 ❷ 76 ❸ 3 ❹ 29

4-1 ☐ 안에 알맞은 수를 써넣으시오.

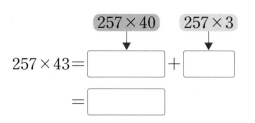

$257 \times 43 = $ ☐ $+$ ☐

$= $ ☐

• **풀이** • 43은 40과 **❶** 의 합이므로 257×43은 257×40과

257× **❷** 의 합과 같습니다.　　　　　　답 ❶ 3 ❷ 3

4-2 ☐ 안에 알맞은 수를 써넣으시오.

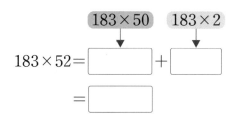

$183 \times 52 = $ ☐ $+$ ☐

$= $ ☐

5-1 주어진 곱셈식을 이용하여 ☐ 안에 알맞은 수를 써넣으시오.

$30 \times 3 = 90$
$30 \times 4 = 120$
$30 \times 5 = 150$

$30 \overline{)137}$

• **풀이** • 30과 곱해서 곱이 137보다 작으면서 137에 가장 가까운 수가 되는

곱셈식을 찾으면 30× **❶** = **❷** 입니다.

답 ❶ 4 ❷ 120

5-2 주어진 곱셈식을 이용하여 ☐ 안에 알맞은 수를 써넣으시오.

$50 \times 4 = 200$
$50 \times 5 = 250$
$50 \times 6 = 300$

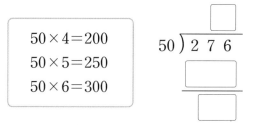

6-1 잘못 계산한 곳을 찾아 바르게 계산하시오.

$$
\begin{array}{r}
12 \\
45\overline{)587} \\
45 \\
\hline
137 \\
90 \\
\hline
47
\end{array}
$$

➡ $45\overline{)587}$

• **풀이** • 나머지 47이 나누는 수 **❶** 보다 크므로 몫을 1 **❷** 합

니다.　　　　　　답 ❶ 45 ❷ 크게

6-2 잘못 계산한 곳을 찾아 바르게 계산하시오.

$$
\begin{array}{r}
23 \\
27\overline{)662} \\
54 \\
\hline
122 \\
81 \\
\hline
41
\end{array}
$$

➡ $27\overline{)662}$

예제 1 조 단위까지의 수

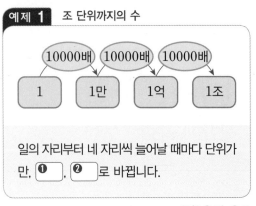

일의 자리부터 네 자리씩 늘어날 때마다 단위가
만, **①** , **②** 로 바뀝니다.

[답] ❶ 억 ❷ 조

1 빈 곳에 알맞은 수를 써넣으시오.

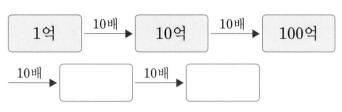

예제 2 각 자리의 숫자가 나타내는 값

67980000에서 각 자리의 숫자가 나타내는 값

	천만의 자리	백만의 자리	십만의 자리	만의 자리
숫자	6	7	9	8
값	60000000	7000000	900000	80000

각 숫자가 나타내는 **①** 이 **②** 에 따라
달라집니다.

[답] ❶ 값 ❷ 자리

2 보기 와 같이 56297을 각 자리의 숫자가 나타내는
값의 합으로 나타내시오.

보기
$$24570 = 20000 + 4000 + 500 + 70$$

$$56297 = \boxed{} + \boxed{} + \boxed{}$$
$$+ \boxed{} + \boxed{}$$

예제 3 큰 수의 크기 비교

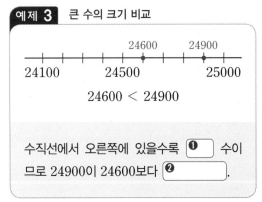

수직선에서 오른쪽에 있을수록 **①** 수이
므로 24900이 24600보다 **②** .

[답] ❶ 큰 ❷ 큽니다

3 두 수의 크기를 비교하여 ◯ 안에 >, =, <를 알
맞게 써넣으시오.

(1) 56980 ◯ 59763

(2) 13조 400억 ◯ 9조 8700억

(3) 2673540 ◯ 2675430

예제 4 (세 자리 수)×(두 자리 수)

$$
\begin{array}{r}
2\ 3\ 1 \\
\times\quad 3\ 6 \leftarrow 30+6 \\
\hline
1\ 3\ 8\ 6 \leftarrow 231\times6 \\
6\ 9\ 3\quad \leftarrow 231\times30 \\
\hline
8\ 3\ 1\ 6
\end{array}
$$

693은 일의 자리 **❶** 의 표시를 생략한 것으로 231×3의 결과가 아닌 231× **❷** 의 결과입니다.

[답] ❶ 0 ❷ 30

4 ☐ 안에 알맞은 수를 써넣으시오.

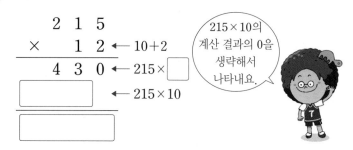

$$
\begin{array}{r}
2\ 1\ 5 \\
\times\quad 1\ 2 \leftarrow 10+2 \\
\hline
4\ 3\ 0 \leftarrow 215\times\boxed{} \\
\boxed{} \leftarrow 215\times10 \\
\hline
\boxed{}
\end{array}
$$

215×10의 계산 결과의 0을 생략해서 나타내요.

예제 5 (두 자리 수)÷(두 자리 수)

$$
\begin{array}{r}
3 \\
23\overline{)8\ 6} \\
6\ 9 \\
\hline
1\ 7
\end{array}
$$

➡ 86÷23=3…17

확인 23×3=69
69+17=86

(나누는 수)×(**❶**)의 결과에 **❷** 를 더하여 나누어지는 수가 되면 바르게 계산한 것입니다.

[답] ❶ 몫 ❷ 나머지

5 계산 결과가 맞는지 확인해 보려고 합니다. ☐ 안에 알맞은 수를 써넣으시오.

$$649÷28=23…5$$

➡ 28× ☐ =644, 644+ ☐ = ☐

예제 6 (세 자리 수)÷(두 자리 수)

$$
\begin{array}{r}
2\ 7 \leftarrow 20+7 \\
14\overline{)3\ 7\ 8} \\
2\ 8\quad \leftarrow 14\times20 \\
\hline
9\ 8 \leftarrow 378-280 \\
9\ 8 \leftarrow 14\times7 \\
\hline
0 \leftarrow 98-98
\end{array}
$$

나누어지는 수의 왼쪽 두 자리 수인 **❶** 부터 나누고 남은 나머지와 일의 자리 수를 더한 수인 **❷** 을 다시 나눕니다.

[답] ❶ 37 ❷ 98

6 ☐ 안에 알맞은 식의 기호를 써넣으시오.

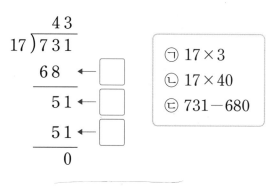

$$
\begin{array}{r}
4\ 3 \\
17\overline{)7\ 3\ 1} \\
6\ 8 \leftarrow \boxed{} \\
\hline
5\ 1 \leftarrow \boxed{} \\
5\ 1 \leftarrow \boxed{} \\
\hline
0
\end{array}
$$

㉠ 17×3
㉡ 17×40
㉢ 731−680

전략 1 각 자리의 숫자가 나타내는 값 구하기

[관련 단원] 큰 수

예 숫자 7이 나타내는 값이 더 큰 수 찾기

> ㉠ 50789   ㉡ 76348

(1) ㉠ 50789에서 숫자 7이 나타내는 값: 7은 백의 자리 숫자이므로 ❶ [　　　]을 나타냅니다.

(2) ㉡ 76348에서 숫자 7이 나타내는 값: 7은 만의 자리 숫자이므로 ❷ [　　　]을 나타냅니다.

(3) 숫자 7이 나타내는 값이 더 큰 수의 기호를 쓰면 ❸ [　　]입니다.

답 ❶ 700 ❷ 70000 ❸ ㉡

필수 예제 01

숫자 5가 나타내는 값이 더 큰 수의 기호를 쓰시오.

> ㉠ 63578000   ㉡ 254300

(1) ㉠에서 숫자 5가 나타내는 값을 구하시오.　　　　(　　　　　　)

(2) ㉡에서 숫자 5가 나타내는 값을 구하시오.　　　　(　　　　　　)

(3) 숫자 5가 나타내는 값이 더 큰 수의 기호를 쓰시오.　(　　　　　　)

풀이 | (1) ㉠에서 숫자 5는 십만의 자리 숫자이므로 500000을 나타냅니다.
　　　(2) ㉡에서 숫자 5는 만의 자리 숫자이므로 50000을 나타냅니다.
　　　(3) 500000 > 50000이므로 숫자 5가 나타내는 값이 더 큰 수는 ㉠입니다.

확인 1-1

숫자 3이 나타내는 값이 더 큰 수의 기호를 쓰시오.

> ㉠ 23507684   ㉡ 316780000

(　　　　　　)

확인 1-2

숫자 6이 나타내는 값이 더 작은 수의 기호를 쓰시오.

> ㉠ 24637009   ㉡ 16398507

(　　　　　　)

전략 ❷ 뛰어 센 수 구하기 [관련 단원] 큰 수

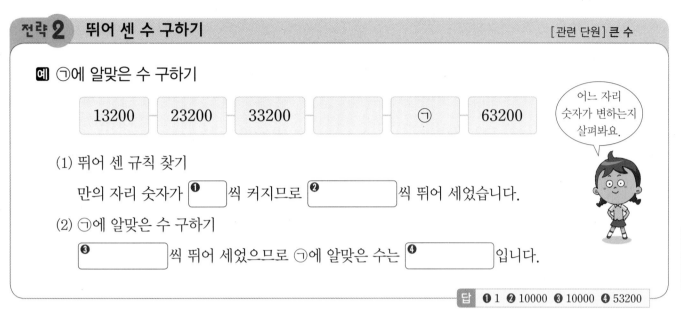

예 ㉠에 알맞은 수 구하기

| 13200 | 23200 | 33200 | | ㉠ | 63200 |

어느 자리 숫자가 변하는지 살펴봐요.

(1) 뛰어 센 규칙 찾기

만의 자리 숫자가 **❶** [   ]씩 커지므로 **❷** [   ]씩 뛰어 세었습니다.

(2) ㉠에 알맞은 수 구하기

❸ [   ]씩 뛰어 세었으므로 ㉠에 알맞은 수는 **❹** [   ]입니다.

답 ❶ 1 ❷ 10000 ❸ 10000 ❹ 53200

필수예제 02

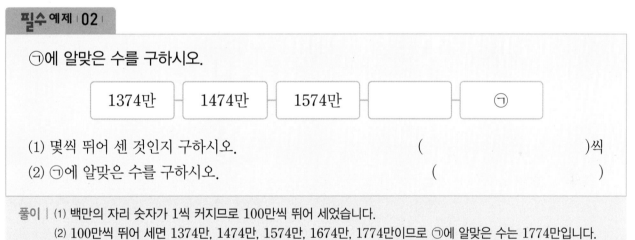

㉠에 알맞은 수를 구하시오.

| 1374만 | 1474만 | 1574만 | | ㉠ |

(1) 몇씩 뛰어 센 것인지 구하시오. (   )씩

(2) ㉠에 알맞은 수를 구하시오. (   )

풀이 (1) 백만의 자리 숫자가 1씩 커지므로 100만씩 뛰어 세었습니다.

(2) 100만씩 뛰어 세면 1374만, 1474만, 1574만, 1674만, 1774만이므로 ㉠에 알맞은 수는 1774만입니다.

확인 2-1

㉠에 알맞은 수를 구하시오.

| 1억 3056만 | 1억 4056만 | 1억 5056만 |

| 1억 6056만 | ㉠ | 1억 8056만 |

(   )

확인 2-2

㉠에 알맞은 수를 구하시오.

| 25조 517억 | 26조 517억 | 27조 517억 |

| 28조 517억 | | ㉠ |

(   )

전략 3 계산 결과 비교하기

[관련 단원] 곱셈과 나눗셈

예 곱이 더 큰 식을 가지고 있는 사람 구하기

소희	진호
143×60	219×30

(세 자리 수)×(몇십)을 계산해 보세요.

(1) 두 사람의 곱셈식의 계산 결과 구하기

소희: $143 \times 60 =$ ❶ [   ], 진호: $219 \times 30 =$ ❷ [   ]

(2) 곱이 더 큰 식을 가지고 있는 사람 구하기

곱의 크기를 비교하면 곱이 더 큰 식을 가지고 있는 사람은 ❸ [   ]입니다.

답 ❶ 8580 ❷ 6570 ❸ 소희

필수 예제 03

곱이 더 작은 식을 가지고 있는 사람의 이름을 쓰시오.

연아	준석
419×72	527×58

(1) 두 사람의 곱셈식의 계산 결과를 구하시오.

연아 (   ), 준석 (   )

(2) 곱이 더 작은 식을 가지고 있는 사람의 이름을 쓰시오. (   )

풀이 | (1) 연아: $419 \times 72 = 30168$, 준석: $527 \times 58 = 30566$

(2) $30168 < 305566$이므로 곱이 더 작은 식을 가지고 있는 사람은 연아입니다.

확인 3-1

곱이 더 큰 것의 기호를 쓰시오.

ㄱ 624×30
ㄴ 459×46

(   )

확인 3-2

곱이 더 작은 것의 기호를 쓰시오.

ㄱ 870×12
ㄴ 623×19

(   )

전략 4 곱셈식으로 나타내기

[관련 단원] 곱셈과 나눗셈

예 민석이가 줄넘기를 매일 175번씩 할 때 4월 한 달 동안 하게 되는 줄넘기 횟수는 모두 몇 번인지 구하기

4월 한 달의 날수를 알아봅니다.

(1) 4월 한 달의 날수 구하기

　4월 한 달은 **❶**〔　　　〕일까지 있습니다.

(2) 민석이가 4월 한 달 동안 하게 되는 줄넘기 횟수 구하기

　(4월 한 달 동안 하게 되는 줄넘기 횟수)＝(하루에 하는 줄넘기 횟수)×(날수)

　　　＝**❷**〔　　　〕×**❸**〔　　　〕＝**❹**〔　　　〕(번)

답 ❶ 30 ❷ 175 ❸ 30 ❹ 5250

필수 예제 04

매일 250 km씩 달리는 트럭이 있습니다. 이 트럭이 3월 한 달 동안 달리는 거리는 모두 몇 km인지 구하시오.

(1) 3월 한 달의 날수를 구하시오. 　　　　　　　(　　　　　　　)

(2) 트럭이 3월 한 달 동안 달리는 거리는 모두 몇 km인지 식을 쓰고, 답을 구하시오.

식 _____

답 _____

풀이 | (1) 3월 한 달은 31일까지 있습니다.
　　　(2) 트럭이 3월 한 달 동안 달리는 거리는 모두 250×31＝7750 (km)입니다.

확인 4-1

지은이는 매일 우유를 350 mL씩 마십니다. 지은이가 2주일 동안 마시는 우유는 모두 몇 mL인지 식을 쓰고, 답을 구하시오.

식 _____

답 _____

확인 4-2

서준이 삼촌은 매일 460 g의 닭 가슴살을 먹습니다. 서준이 삼촌이 3주 동안 먹는 닭 가슴살은 모두 몇 g인지 식을 쓰고, 답을 구하시오.

식 _____

답 _____

[관련 단원] 큰 수

1 다음을 수로 나타내면 숫자 0을 모두 몇 번 쓰는지 구하시오.

> 구천이조 오천이백억 삼천팔십만 오백삼십

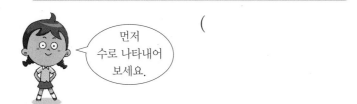

먼저
수로 나타내어
보세요.

(   )

[관련 단원] 큰 수

2 ❷십조의 자리 숫자와 백억의 자리 숫자의 합을 구하시오.

❶
> 3468593010000000

(   )

[관련 단원] 큰 수

3 미국과 영국의 인구수를 나타낸 표입니다. 두 나라 중 인구
수가 더 많은 나라는 어디입니까?

미국	삼억 삼천이백구십일만 오천칠십사 명
영국	67886011명

(   )

[관련 단원] 곱셈과 나눗셈

4 **보기**와 같이 302×23을 어림해 보시오.

> **보기**
>
> 196×18
>
> 196은 200보다 작고, 18은 20보다 작으므로 계산 결과는 200×20=4000보다 작을 것입니다.

> 302×23
>
> 302는 [　]보다 크고, 23은 [　]보다 크므로 계산 결과는 [　]×[　]=[　]보다 클 것입니다.

어림을 할 때는 더 가까운 쪽의 수로 어림해요.

[관련 단원] 곱셈과 나눗셈

5 몫이 두 자리 수인 나눗셈을 찾아 기호를 쓰시오.

> ㉠ 651÷92   ㉡ 145÷23
> ㉢ 488÷37   ㉣ 175÷32

(　　　　　　)

[관련 단원] 곱셈과 나눗셈

6 지민이가 10000원으로 문구점에서 ❶350원짜리 지우개를 20개 샀습니다. 지민이가 ❷지우개를 사고 남은 돈은 얼마인지 구하시오.

(　　　　　　)

[관련 단원] 큰 수

전략 1 큰 수의 크기 비교

예 두 수의 크기를 비교하여 더 큰 수 찾기

ㄱ 54만 1087   ㄴ 59824

모두 수로 나타낸 다음 크기를 비교해 보세요.

(1) ㄱ을 수로 나타내기: 54만 1087 ➡ ❶ [   ]

(2) 자리 수 비교하기: ㄱ은 ❷ [   ] 자리 수이고 ㄴ은 5자리 수이므로 더 큰 수의 기호를 쓰면

❸ [   ] 입니다.

답 ❶ 541087 ❷ 6 ❸ ㄱ

필수 예제 01

두 수의 크기를 비교하여 더 큰 수의 기호를 쓰시오.

ㄱ 3억 4629   ㄴ 300004700

(1) ㄱ을 수로 나타내시오.

(   )

(2) 두 수의 크기를 비교하여 더 큰 수의 기호를 쓰시오.

(   )

풀이 ┃ (1) ㄱ을 수로 나타내면 300004629입니다.
　　　(2) ㄱ과 ㄴ 모두 9자리 수이므로 가장 높은 자리 수부터 비교하면
　　　　 300004629 < 300004700이므로 더 큰 수는 ㄴ입니다.
　　　　　　　　 6<7

확인 1-1

두 수의 크기를 비교하여 더 작은 수의 기호를 쓰시오.

ㄱ 오백이만 사천칠백
ㄴ 514만 3308

(   )

확인 1-2

두 수의 크기를 비교하여 더 작은 수의 기호를 쓰시오.

ㄱ 칠천삼십조 육천사백오억
ㄴ 조가 7003개, 억이 6800개인 수

(   )

전략 2 가장 큰 수, 가장 작은 수 만들기

[관련 단원] 큰 수

예 다섯 장의 수 카드를 한 번씩 사용하여 가장 큰 다섯 자리 수 만들기

| 3 | 5 | 1 | 8 | 4 |

(1) 수 카드의 크기를 비교하여 큰 수부터 차례로 쓰기

➡ ❶□, ❷□, ❸□, ❹□, ❺□

(2) 가장 큰 다섯 자리 수 만들기

큰 수부터 높은 자리에 차례로 쓰면 ❻□□□□□입니다.

수 카드를 사용하여 가장 큰 수를 만들려면 큰 수부터 높은 자리에 차례로 써야 합니다.

답 ❶8 ❷5 ❸4 ❹3 ❺1 ❻85431

필수 예제 02

여섯 장의 수 카드를 한 번씩 사용하여 가장 작은 여섯 자리 수를 만드시오.

| 6 | 2 | 0 | 3 | 7 | 4 |

( )

풀이 | 수 카드의 크기를 비교하면 0<2<3<4<6<7입니다.
따라서 작은 수부터 높은 자리에 차례로 써야 하는데 0은 맨 앞에 올 수 없으므로 만들 수 있는 가장 작은 여섯 자리 수는 203467입니다.

확인 2-1

다섯 장의 수 카드를 한 번씩 사용하여 가장 큰 다섯 자리 수를 만드시오.

| 4 | 6 | 9 | 7 | 1 |

( )

확인 2-2

여섯 장의 수 카드를 한 번씩 사용하여 가장 작은 여섯 자리 수를 만드시오.

| 3 | 9 | 6 | 1 | 0 | 5 |

( )

전략 3 몫과 나머지의 크기 비교하기

[관련 단원] 곱셈과 나눗셈

예 몫이 더 큰 나눗셈식 찾기

㉠ 350÷50
㉡ 495÷60

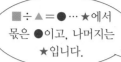
■÷▲=●…★에서
몫은 ●이고, 나머지는
★입니다.

(1) 두 나눗셈식의 계산 결과 구하기

㉠ 350÷50= ❶ , ㉡ 495÷60= ❷ … ❸

(2) 몫이 더 큰 나눗셈식의 기호를 쓰면 ❹ 입니다.

답 ❶ 7 ❷ 8 ❸ 15 ❹ ㉡

필수 예제 03

몫이 더 작은 나눗셈식의 기호를 쓰시오.

㉠ 75÷15
㉡ 99÷32

(1) 두 나눗셈식의 계산 결과를 구하시오.

㉠ 75÷15= , ㉡ 99÷32= …

(2) 몫이 더 작은 나눗셈식의 기호를 쓰시오.

( )

풀이 | (1) ㉠ 75÷15=5, ㉡ 99÷32=3…3
(2) 몫의 크기를 비교하면 5>3이므로 몫이 더 작은 나눗셈식은 ㉡입니다.

확인 3-1

나머지가 더 큰 나눗셈식의 기호를 쓰시오.

㉠	㉡
274÷45	159÷26

( )

확인 3-2

나머지가 더 작은 나눗셈식을 가지고 있는 사람의 이름을 쓰시오.

가영	세나
870÷14	583÷25

( )

전략 4 나눗셈식으로 나타내기　　　　　　　　[관련 단원] 곱셈과 나눗셈

예 쿠키 한 개를 만드는 데 밀가루 15 g이 필요할 때, 밀가루 95 g으로 쿠키를 몇 개까지 만들 수 있는지 구하기

(1) 만들 수 있는 쿠키 수를 구하는 나눗셈식 세우기

나눗셈식　❶ □ ÷ ❷ □ = ❸ □ … ❹ □

(2) 만들 수 있는 쿠키 수 구하기

밀가루 95 g으로 쿠키를 ❺ □ 개까지 만들 수 있습니다.

답　❶ 95　❷ 15　❸ 6　❹ 5　❺ 6

필수 예제 04

207개의 초콜릿을 한 봉지에 25개씩 담으려고 합니다. 봉지에 담고 남는 초콜릿은 몇 개인지 구하시오.

(1) 초콜릿을 담을 수 있는 봉지 수와 남는 초콜릿 수를 구하는 나눗셈식을 세우시오.

□ ÷ □ = □ … □

(2) 봉지에 담고 남는 초콜릿 수를 구하시오.

(　　　　　)

풀이 ⑴ (전체 초콜릿 수)÷(한 봉지에 담으려고 하는 초콜릿 수)=207÷25=8…7
　　　⑵ 초콜릿을 한 봉지에 25개씩 8봉지에 담고, 남는 초콜릿은 7개입니다.

확인 4-1

도연이네 학교 학생 387명이 운동장에 모여 모둠을 만들고 있습니다. 한 모둠에 12명이라면 모둠을 만들고 남는 학생은 몇 명인지 식을 쓰고, 답을 구하시오.

식 _____

답 _____

확인 4-2

길이가 3 m 25 cm인 색 테이프가 있습니다. 색 테이프를 33 cm씩 잘라서 상자를 묶으면 상자를 몇 개까지 묶을 수 있는지 식을 쓰고, 답을 구하시오.

식 _____

답 _____

[관련 단원] 큰 수

1 ❶규칙에 따라 ❷빈 곳에 알맞은 수를 써넣으시오.

| 34억 3972만 | 34억 3982만 | 34억 3992만 |

| 34억 4002만 | | |

[관련 단원] 큰 수

2 돈은 모두 얼마인지 구하시오.

(   )

[관련 단원] 큰 수

3 수 카드를 한 번씩만 사용하여 가장 큰 수를 만들고, 읽어 보시오.

| 1 | 0 | 3 | 2 | 6 | 5 | 4 |

쓰기 _____

읽기 _____

[관련 단원] 곱셈과 나눗셈

4 지훈이가 ❶190쪽인 동화책을 매일 14쪽씩 읽으려고 합니다. ❷동화책을 다 읽으려면 적어도 며칠이 걸리는지 구하시오.

( )

[관련 단원] 곱셈과 나눗셈

5 수 카드 9, 1, 3, 8, 5 를 한 번씩만 사용하여 가장 큰 세 자리 수와 가장 작은 두 자리 수를 만들었습니다. 만든 두 수로 (세 자리 수)×(두 자리 수)의 곱셈식을 만들었을 때의 계산 결과를 구하시오.

( )

[관련 단원] 곱셈과 나눗셈

6 나눗셈에서 나머지가 될 수 있는 수 중 가장 큰 수를 구하시오.

$$\boxed{} \div 20$$

( )

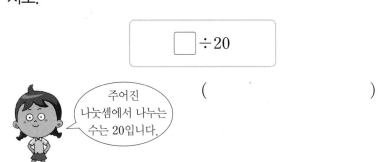

주어진 나눗셈에서 나누는 수는 20입니다.

대표 예제 01

20568을 바르게 읽은 사람은 누구인지 구하시오.

서은	민아
이천오백육십팔	이만 오백육십팔

(   )

개념가이드

20568을 일의 자리부터 네 자리씩 끊어서 읽습니다. 이때 천의 자리 숫자는 ❶ [   ] 이므로 숫자와 자릿값을 읽지 ❷ [   ].

[답] ❶ 0 ❷ 않습니다

대표 예제 03

두 수 중에서 백만의 자리 숫자가 6인 수에 ○표 하시오.

65234089	46932000

(   )   (   )

개념가이드

일의 자리부터 ❶ [   ] 자리씩 끊어서 표시한 후 ❷ [   ] 의 자리 숫자가 6인 수를 찾습니다.

[답] ❶ 네 ❷ 백만

대표 예제 02

숫자 4가 나타내는 값이 더 큰 것의 기호를 쓰시오.

㉠ 240670000   ㉡ 458097630

(   )

개념가이드

㉠의 숫자 4는 ❶ [   ] 의 자리 숫자이고, ㉡의 숫자 4는 ❷ [   ] 의 자리 숫자입니다.

[답] ❶ 천만 ❷ 억

대표 예제 04

1억씩 뛰어 세어 보시오.

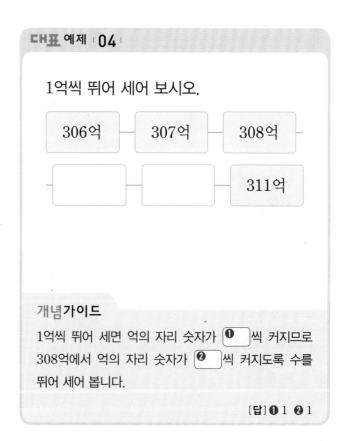

개념가이드

1억씩 뛰어 세면 억의 자리 숫자가 ❶ [   ] 씩 커지므로 308억에서 억의 자리 숫자가 ❷ [   ] 씩 커지도록 수를 뛰어 세어 봅니다.

[답] ❶ 1 ❷ 1

넌 최고로 잘하고 있어!

대표 예제 05

얼마만큼씩 뛰어 센 것인지 쓰시오.

| 2405000 | 2505000 | 2605000 |

| 2705000 | 2805000 | 2905000 |

( )씩

개념가이드

❶[ ]의 자리 숫자가 ❷[ ]씩 커지도록 뛰어 세기 한 것입니다.

[답] ❶ 십만 ❷ 1

대표 예제 07

태양과 각 행성까지의 거리를 나타낸 것 입니다. 태양에서 더 가까운 행성의 이름 을 쓰시오.

| 목성 | 칠억 칠천팔백삼십사만 km |
| 화성 | 227940000 km |

( )

개념가이드

칠억 칠천팔백삼십사만을 수로 나타내면
❶[ ]입니다.
두 수의 자리 수가 같으므로 가장 ❷[ ] 자리의 숫 자부터 비교합니다.

[답] ❶ 778340000 ❷ 높은

대표 예제 06

두 수의 크기를 비교하여 ○ 안에 >, <를 알맞게 써넣으시오.

| 5228531 | ○ | 586257 |

개념가이드

자리 수를 세어 보면 5228531은 ❶[ ]자리 수이고, 586257은 ❷[ ]자리 수입니다.
자리 수가 다르면 자리 수가 많은 수가 더 큽니다.

[답] ❶ 7 ❷ 6

대표 예제 08

0부터 7까지의 자연수를 한 번씩만 사용 하여 가장 큰 수를 만드시오.

( )

개념가이드

가장 큰 수를 만들려면 0부터 7까지의 자연수 중 가장 ❶[ ] 수인 ❷[ ]부터 높은 자리에 차례로 놓습니다.

[답] ❶ 큰 ❷ 7

대표 예제 | 09 |

보기와 같이 계산하시오.

> **보기**
> $236 \times 3 = 708$
> ➡ $236 \times 30 = 7080$

$543 \times 5 = \boxed{}$

➡ $543 \times 50 = \boxed{}$

개념**가이드**

50은 5를 ❶ $\boxed{}$ 배 한 수이므로 543×50도 543×5 를 ❷ $\boxed{}$ 배 한 수입니다.

[답] ❶ 10 ❷ 10

대표 예제 | 10 |

계산 결과가 더 큰 것의 기호를 쓰시오.

> ㉠ 900×40
> ㉡ 542×60

(   )

개념**가이드**

㉠ 900×40은 $9 \times 4 = $ ❶ $\boxed{}$ 에 곱하는 두 수의 0의 개수만큼 ❷ $\boxed{}$ 을 붙입니다.

[답] ❶ 36 ❷ 0

대표 예제 | 11 |

어느 학교 학생들이 매일 마시는 우유가 256개입니다. 학생들이 9월 한 달 동안 마시는 우유는 몇 개인지 구하시오.

(   )

개념**가이드**

9월은 ❶ $\boxed{}$ 일까지 있으므로 9월 한 달 동안 마시는 우유의 개수를 구하는 곱셈식은 $256 \times$ ❷ $\boxed{}$ 입니다.

[답] ❶ 30 ❷ 30

대표 예제 | 12 |

서진이와 민호 중 누가 책을 더 많이 읽을지 구하시오.

> 서진: 나는 14일 동안 책을 매일 105쪽씩 읽을 거야.
> 민호: 나는 매일 70쪽씩 20일 동안 읽으려고 해.

(   )

개념**가이드**

서진이가 읽을 책의 쪽수는 ❶ $\boxed{}$ $\times 14$로 구하고, 민호가 읽을 책의 쪽수는 ❷ $\boxed{}$ $\times$ ❸ $\boxed{}$ 으로 구할 수 있습니다.

[답] ❶ 105 ❷ 70 ❸ 20

넌 최고야!

대표 예제 13

두 나눗셈 중 몫이 더 큰 것의 기호를 쓰시오.

⊙ 16)80   ⓒ 32)319

(   )

개념가이드

⊙ 80÷[①   ]과 ⓒ 319÷[②   ]를 계산한 후
[③   ]의 크기를 비교합니다.

[답] ❶ 16 ❷ 32 ❸ 몫

대표 예제 15

☐ 안에 알맞은 수를 써넣으시오.

$$\boxed{} \div 43 = 13 \cdots 8$$

개념가이드

(나누어지는 수)÷(나누는 수)=(몫)…(나머지)에서
나누는 수와 [①   ]의 곱에 [②   ]를 더하면 나누
어지는 수가 됩니다.

[답] ❶ 몫 ❷ 나머지

대표 예제 14

연필 189자루를 한 상자에 22자루씩 담아서 팔려고 합니다. 연필을 몇 상자까지 팔 수 있는지 구하시오.

(   )

개념가이드

연필을 담을 수 있는 상자 수를 구하는 나눗셈식은
[①   ]÷[②   ]입니다.

[답] ❶ 189 ❷ 22

대표 예제 16

가장 큰 수를 가장 작은 수로 나누었을 때 몫과 나머지를 구하시오.

| 13 | 44 | 346 | 259 |

몫 (   )
나머지 (   )

개념가이드

가장 큰 수는 [①   ]이고, 가장 작은 수는 [②   ]이
므로 [③   ]÷[④   ]의 몫과 나머지를 구합니다.

[답] ❶ 346 ❷ 13 ❸ 346 ❹ 13

1 다음을 수로 나타내었을 때 0을 모두 몇 번 쓰게 되는지 구하시오.

> 억이 125개, 만이 78개,
> 일이 240개인 수

( )

수로 나타낸 후 0의 개수를 세어 보세요.

Tip

설명하는 수는 ❶ [ ] 억 78만 ❷ [ ] 입니다.
수로 나타낼 때 읽지 않은 자리에는 숫자 ❸ [ ] 을 씁니다.

답 ❶ 125 ❷ 240 ❸ 0

2 십조의 자리 숫자와 십억의 자리 숫자의 차를 구하시오.

> 5976024860000000

( )

Tip

일의 자리부터 네 자리씩 끊어서 표시하면 일, 만, ❶ [ ],
❷ [ ] 로 단위가 바뀝니다.

답 ❶ 억 ❷ 조

3 두 수의 크기를 비교하여 더 큰 수의 기호를 쓰시오.

> ㉠ 이천삼십조 육천삼백구억
> ㉡ 조가 2004개, 억이 3800개인 수

( )

Tip

㉠ 이천삼십조 육천삼백구억을 수로 나타내면
❶ [ ] 조 6309억입니다.
㉡ 조가 2004개, 억이 3800개인 수는
❷ [ ] 조 ❸ [ ] 억입니다.

답 ❶ 2030 ❷ 2004 ❸ 3800

4 0부터 9까지의 자연수를 한 번씩만 사용하여 가장 작은 10자리 수를 만들어 쓰고, 읽어 보시오.

쓰기 _____

읽기 _____

Tip

가장 작은 수를 만들려면 가장 작은 수부터 ❶ [ ] 자리에 차례로 놓아야 합니다.
이때 ❷ [ ] 은 맨 앞에 올 수 없습니다.

답 ❶ 높은 ❷ 0

5 혜주는 5000원으로 한 장에 250원인 색 도화지를 17장 샀습니다. 색 도화지를 사고 남은 돈은 얼마인지 구하시오.

( )

Tip
색 도화지 17장의 값은 (❶[　] × ❷[　])원입니다.
(색 도화지를 사고 남은 돈)
＝(혜주가 처음에 가지고 있던 돈)−(색 도화지 17장의 값)

답 ❶ 250 ❷ 17

7 수학책 1권의 무게는 375 g, 익힘책 1권의 무게는 293 g입니다. 가은이네 반 학생 24명의 수학책과 익힘책의 무게는 모두 몇 g인지 구하시오.

( )

Tip
수학책 24권의 무게는 (375 × ❶[　])g이고,
익힘책 24권의 무게는 (❷[　] × 24)g입니다.

답 ❶ 24 ❷ 293

6 달걀판 한 판에 달걀을 30개씩 담을 수 있습니다. 수아네 양계장에서 달걀을 653개 생산하였습니다. 이 달걀을 달걀판에 모두 담으려면 필요한 달걀판은 적어도 몇 판인지 구하시오.

( )

Tip
필요한 달걀판 수를 구하는 나눗셈식은 ❶[　] ÷ ❷[　] 입니다. 달걀판에 30개씩 담고 남는 달걀도 달걀판에 담아야 함에 주의합니다.

답 ❶ 653 ❷ 30

8 예성이는 수 카드 5장을 한 번씩만 사용하여 가장 작은 세 자리 수와 가장 큰 두 자리 수를 만들었습니다. 예성이가 만든 두 수로 (세 자리 수)÷(두 자리 수)의 나눗셈식을 만들어 계산했을 때의 몫과 나머지를 구하시오.

| 2 | 3 | 5 | 7 | 8 |

몫 ( )
나머지 ( )

Tip
가장 작은 세 자리 수는 ❶[　] 수부터 높은 자리에 차례로 놓으면 되므로 ❷[　]입니다.
가장 ❸[　] 두 자리 수는 큰 수부터 높은 자리에 차례로 놓으면 되므로 ❹[　]입니다.

답 ❶ 작은 ❷ 235 ❸ 큰 ❹ 87

01 ☐ 안에 알맞은 수를 써넣으시오.

10000이 6개
1000이 3개
100이 4개 ─ 이면 ☐
10이 2개
1이 9개

02 보기와 같이 나타내시오.

보기

45263＝40000＋5000＋200＋60＋3

26087＝ _____

03 10조씩 뛰어 세어 보시오.

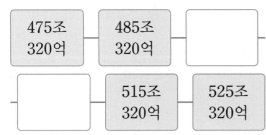

475조 320억	485조 320억	

| | 515조 320억 | 525조 320억 |

04 두 마트에서 파는 청소기의 가격입니다. 어느 마트에서 더 비싸게 팔고 있는지 구하시오.

가 마트	나 마트
210650원	197340원

( )

05 수 카드를 모두 한 번씩만 사용하여 만의 자리 숫자가 4인 가장 큰 수를 구하시오.

7 2 3 4 1 5

( )

06 빈칸에 알맞은 수를 써넣으시오.

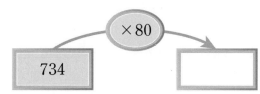

07 수민이는 1년 동안 매일 아침에 35분씩 걷기 운동을 하였습니다. 1년을 365일로 계산한다면 수민이가 1년 동안 아침에 걷기 운동을 한 시간은 모두 몇 분인지 구하시오.

( )

08 몫이 더 큰 것의 기호를 쓰시오.

㉠ 76÷19
㉡ 156÷22

( )

09 정빈이가 255쪽인 역사책을 매일 30쪽 씩 읽으려고 합니다. 30쪽씩 며칠 동안 읽고, 마지막 날에는 몇 쪽을 읽어야 하 는지 나눗셈식을 쓰고 답을 구하시오.

식

답 ,

10 ●가 될 수 있는 수 중에서 가장 큰 수를 구하시오.

$$\boxed{} \div 29 = 8 \cdots \bullet$$

( )

창의 융합

1 위 대화를 읽고 냉장고, 텔레비전, 세탁기 중에서 가장 싼 전자 제품은 무엇인지 구하시오.

(   )

2 케이블카 한 대에는 한 번에 12명이 탈 수 있습니다. 4학년 학생 168명이 케이블카를 타기 위해 모둠을 만들려고 합니다. 몇 모둠을 만들어야 합니까?

(   )

창의·융합·코딩 전략 ②

코딩

1 보물 상자의 비밀번호는 여섯 자리 수입니다. 보물 상자의 비밀번호에 대한 힌트를 보고 비밀번호를 구하시오.

힌트

- 십의 자리 숫자는 만의 자리 숫자의 2배입니다.
- 가장 높은 자리 숫자가 나타내는 값은 500000입니다.

(   )

Tip --

십의 자리 숫자는 만의 자리 숫자인 [❶   ]의 2배입니다.

가장 높은 자리는 [❷   ]의 자리입니다.

[답] ❶ 4 ❷ 십만

창의 융합

2 우리나라 인천에서 각 도시 간의 비행 거리를 나타낸 것입니다. 세 도시 중 비행 거리가 가장 긴 도시를 구하시오.

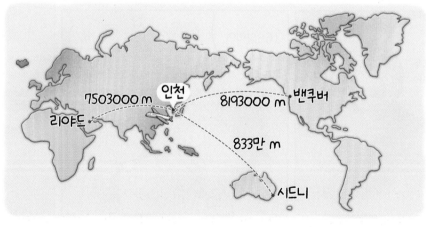

(   )

Tip --

인천에서 시드니까지의 비행 거리 833만 m를 수로 나타내면 [❶   ] m이므로 세 나라의 비행 거리를 나타낸 수는 모두 [❷   ]자리 수입니다. 따라서 높은 자리 수부터 수의 크기를 비교합니다.

[답] ❶ 8330000 ❷ 7

코딩

3 화살표의 규칙 에 따라 빈 곳에 알맞은 수를 써넣으시오.

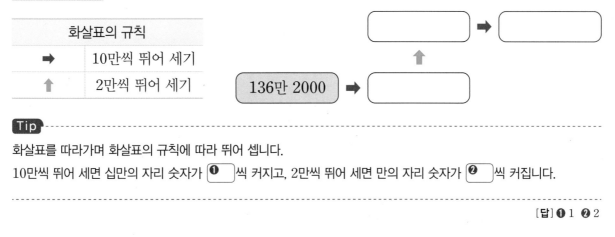

화살표의 규칙	
➡	10만씩 뛰어 세기
⬆	2만씩 뛰어 세기

Tip

화살표를 따라가며 화살표의 규칙에 따라 뛰어 셉니다.

10만씩 뛰어 세면 십만의 자리 숫자가 ❶ 씩 커지고, 2만씩 뛰어 세면 만의 자리 숫자가 ❷ 씩 커집니다.

[답] ❶ 1 ❷ 2

창의 융합

4 중국 숫자가 적힌 카드 6장을 한 번씩 사용하여 여섯 자리 수를 만들려고 합니다. 만들 수 있는 수 중 가장 큰 수와 가장 작은 수를 각각 구하시오.

아라비아 숫자	1	2	3	4	5	6	7	8	9
중국 숫자(한자)	一	二	三	四	五	六	七	八	九

五 三 六 二 八 七

가장 큰 수 (   )

가장 작은 수 (   )

Tip

중국 숫자를 아라비아 숫자로 바꾸어 6개의 수의 크기를 비교합니다.

가장 큰 수를 만들 때는 ❶ 수부터 높은 자리에 차례로 놓고, 가장 작은 수를 만들 때는 ❷ 수부터 높은 자리에 차례로 놓습니다.

[답] ❶ 큰 ❷ 작은

코딩

5 사다리를 타고 내려갔을 때 도착하는 곳의 계산 결과가 가장 큰 사람이 이깁니다. 이기는 사람의 이름을 쓰시오.

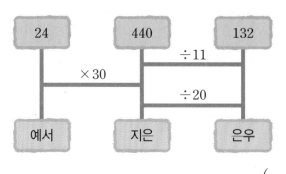

( )

Tip --

• 24×30의 곱을 **❶**[   ]으로 나눈 값입니다. ➡ 은우

• 440÷11의 몫을 **❷**[   ]으로 나눈 값입니다. ➡ 지은

• 132÷11의 몫에 **❸**[   ]을 곱한 값입니다. ➡ 예서

[답] **❶** 20 **❷** 20 **❸** 30

추론

6 ☐ 안에 들어갈 수가 큰 것부터 차례로 글자를 써서 사자성어를 만드시오.

| 발 | $700 \times \boxed{}0 = 42000$ | 백 | $300 \times \boxed{}0 = 24000$ |
| 백 | $500 \times \boxed{}0 = 25000$ | 중 | $600 \times \boxed{}0 = 18000$ |

이 사자성어는 총이나 화살을 쏘면 어김없이 맞힌다는 뜻으로, 예상한 일이 꼭 들어맞는 것을 이르는 말입니다.

( )

Tip --

(몇백)×(몇십)은 (몇)×(몇)의 곱에 **❶**[   ]을 **❷**[   ]개 붙입니다.

[답] **❶** 0 **❷** 3

추론

7 5개의 주사위의 눈의 수를 한 번씩만 사용하여 가장 큰 세 자리 수와 가장 작은 두 자리 수를 만들려고 합니다. 만든 두 수로 (세 자리 수)÷(두 자리 수)의 나눗셈식을 만들어 계산했을 때의 몫과 나머지를 구하시오.

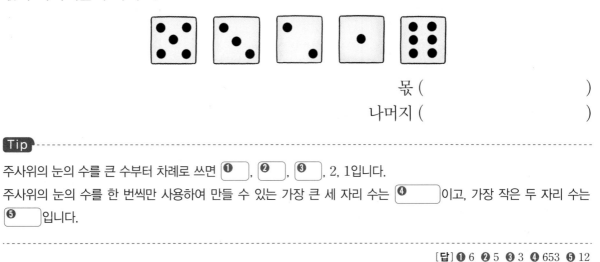

몫 (   )

나머지 (   )

> **Tip**
>
> 주사위의 눈의 수를 큰 수부터 차례로 쓰면 **❶**, **❷**, **❸**, 2, 1입니다.
>
> 주사위의 눈의 수를 한 번씩만 사용하여 만들 수 있는 가장 큰 세 자리 수는 **❹** 이고, 가장 작은 두 자리 수는 **❺** 입니다.

[답] **❶** 6 **❷** 5 **❸** 3 **❹** 653 **❺** 12

코딩

8 다음과 같이 기호와 도형을 써서 일의 처리 과정을 나타낸 그림을 순서도라고 합니다. 순서도에서 처리되어 출력되는 값을 구하시오.

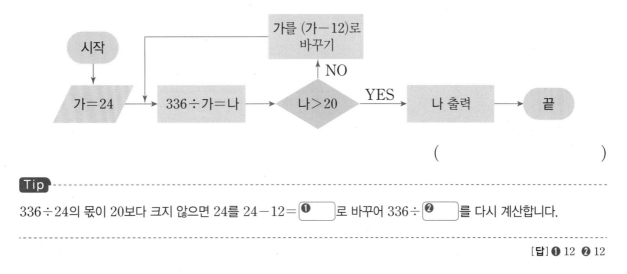

(   )

> **Tip**
>
> 336÷24의 몫이 20보다 크지 않으면 24를 24−12=**❶** 로 바꾸어 336÷**❷** 를 다시 계산합니다.

[답] **❶** 12 **❷** 12

각도, 평면도형의 이동

❶ 각의 크기, 각도, 예각과 둔각
❷ 각도의 합과 차
❸ 삼각형, 사각형의 모든 각의 크기의 합

❹ 평면도형을 밀기, 뒤집기, 돌리기
❺ 평면도형을 뒤집고 돌리기
❻ 무늬 꾸미기

개념 **1** 각도, 예각과 둔각

[관련 단원] 각도

○ **각도**: 각의 크기

1도(1°): 직각의 크기를 똑같이 90으로 나눈 것 중의 하나

○ **예각**: 각도가 0°보다 크고
직각보다 작은 각

○ **둔각**: 각도가 직각보다 크고
180°보다 작은 각

• 예각과 둔각 구분하기

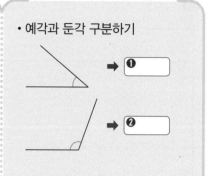

➡ ❶ [ ]

➡ ❷ [ ]

| 답 | ❶ 예각 ❷ 둔각 |

개념 **2** 각도의 합과 차

[관련 단원] 각도

○ **각도의 합** ➡ 자연수의 덧셈과 같은 방법으로 계산하고 뒤에 단위(°)를 붙입니다.

$$40° + 20° = 60°$$

○ **각도의 차** ➡ 자연수의 뺄셈과 같은 방법으로 계산하고 뒤에 단위(°)를 붙입니다.

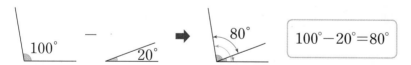

$$100° - 20° = 80°$$

• 각도의 합

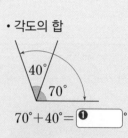

$$70° + 40° = ❶ \quad °$$

• 각도의 차

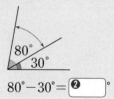

$$80° - 30° = ❷ \quad °$$

| 답 | ❶ 110 ❷ 50 |

개념 **3** 삼각형과 사각형의 각의 크기의 합

[관련 단원] 각도

• 삼각형의 세 각의 크기의
합은 180°입니다.

$$60° + 80° + 40° = 180°$$

• 사각형의 네 각의 크기의
합은 360°입니다.

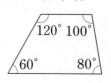

$$120° + 60° + 80° + 100° = 360°$$

• 삼각형의 모양과 크기가 달라도
삼각형의 세 각의 크기의 합은
❶ [ ] °입니다.

• 사각형의 모양과 크기가 달라도
사각형의 네 각의 크기의 합은
❷ [ ] °입니다.

| 답 | ❶ 180 ❷ 360 |

개념 기초 확인

▶정답 및 풀이 9쪽

1-1 둔각에 ○표 하시오.

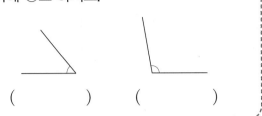

(   )   (   )

• **풀이** • 각도가 직각보다 크고 **❶** [   ]°보다 **❷** [   ] 각에 ○표 합니다.

                              답 ❶ 180 **❷** 작은

1-2 예각에 ○표 하시오.

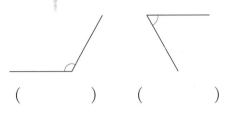

(   )   (   )

2-1 각도의 합을 구하시오.

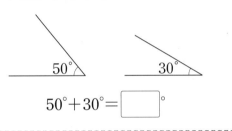

$$50° + 30° = \boxed{}°$$

• **풀이** • 자연수의 덧셈과 같은 방법으로 계산하면 $50 + 30 =$ **❶** [   ]이므로

$50° + 30° =$ **❷** [   ]°입니다.   **답 ❶** 80 **❷** 80

2-2 각도의 차를 구하시오.

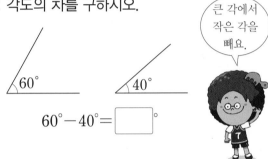

$$60° - 40° = \boxed{}°$$

> 큰 각에서 작은 각을 빼요.

3-1 각도기로 삼각형의 세 각의 크기를 각각 재어 보고 합을 구하시오.

	㉠	㉡	㉢
각도	35°		

삼각형의 세 각의 크기의 합: $\boxed{}°$

• **풀이** • 삼각형의 세 각의 크기를 각각 재어 더하면

㉠+㉡+㉢$=35° +$ **❶** [   ]° $+$ **❷** [   ]° $=$ **❸** [   ]°입니다.

                        답 ❶ 125 **❷** 20 **❸** 180

3-2 각도기로 사각형의 네 각의 크기를 각각 재어 보고 합을 구하시오.

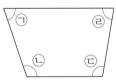

	㉠	㉡	㉢	㉣
각도	70°	110°		

사각형의 네 각의 크기의 합: $\boxed{}°$

↑

㉠+㉡+㉢+㉣

개념 4 평면도형을 밀기, 뒤집기, 돌리기

[관련 단원] 평면도형의 이동

◉ 평면도형을 밀기

 ➡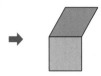

> 모양 조각을 밀면 모양은 변하지 않고 위치만 바뀝니다.

◉ 평면도형을 뒤집기

모양 조각을 위쪽이나 아래쪽으로 뒤집으면 위쪽과 아래쪽이, 왼쪽이나 오른쪽으로 뒤집으면 왼쪽과 오른쪽이 서로 바뀝니다.

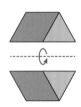

◉ 평면도형을 돌리기

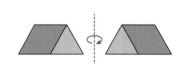

	90°	180°	270°	360°

모양 조각을 왼쪽으로 밀어도 모양 조각의 크기와 모양은 변하지 **❶** .

· 도형을 왼쪽으로 뒤집으면 도형의 왼쪽과 **❷** 쪽이 서로 바뀝니다.

· 도형을 시계 방향 또는 시계 반대 방향으로 360°만큼 돌리면 처음 도형과 같습니다.

> 도형을 시계 방향 또는 시계 반대 방향으로 90°, 180°, 270°, 360°만큼 돌리기 하여 봅니다.

답 ❶ 않습니다 ❷ 오른

개념 5 규칙적인 무늬 만들기

[관련 단원] 평면도형의 이동

◉ ◰ 모양으로 밀기, 뒤집기, 돌리기를 이용하여 규칙적인 무늬 만들기

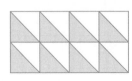

밀기

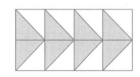

뒤집기

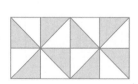

돌리기

· 무늬에서 규칙 찾기

➡ ◹ 모양으로 **❶** 를 이용하여 규칙적인 **❷** 를 만들었습니다.

답 ❶ 밀기 ❷ 무늬

4-1 오른쪽 모양 조각을 왼쪽으로 뒤집었을 때의 모양으로 알맞은 것에 ○표 하시오.

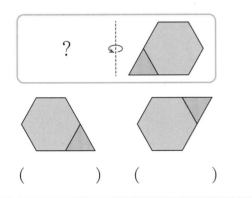

(   )   (   )

• **풀이** • 모양 조각을 왼쪽으로 뒤집으면 도형의 **❶** 쪽과 오른쪽이 서로

❷ .

답 **❶** 왼 **❷** 바뀝니다

4-2 오른쪽 모양 조각을 위쪽으로 뒤집었을 때의 모양으로 알맞은 것에 ○표 하시오.

(   )   (   )

> 도형을 위쪽으로 뒤집으면 도형의 위쪽과 아래쪽이 서로 바뀝니다.

5-1 왼쪽 도형을 시계 방향으로 90°만큼 돌렸을 때의 도형을 완성하시오.

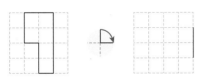

• **풀이** • 도형을 시계 방향으로 **❶** °만큼 돌리면 위쪽 부분이

❷ 쪽으로 이동합니다.   답 **❶** 90 **❷** 오른

5-2 왼쪽 도형을 시계 반대 방향으로 180°만큼 돌렸을 때의 도형을 완성하시오.

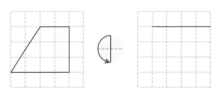

6-1 주어진 모양으로 밀기를 이용하여 규칙적인 무늬를 만드시오.

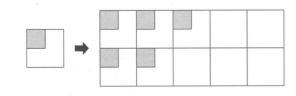

• **풀이** • 주어진 모양을 밀면 크기와 **❶** 은 변하지 않고

❷ 만 바뀝니다.   답 **❶** 모양 **❷** 위치

6-2 주어진 모양을 아래쪽으로 뒤집어서 모양을 만들고, 그 모양을 오른쪽으로 밀기를 반복해서 무늬를 만드시오.

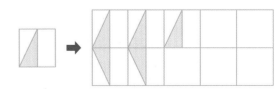

2주 04일 개념 돌파 전략 ❷

예제 1 예각과 둔각

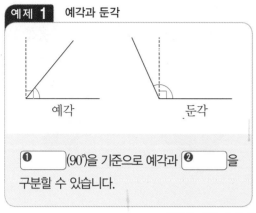

예각

둔각

①[   ](90°)을 기준으로 예각과 **②**[   ]을 구분할 수 있습니다.

[답] ❶ 직각 ❷ 둔각

1 시계의 긴바늘과 짧은바늘이 이루는 작은 쪽의 각이 예각이면 '예', 둔각이면 '둔'이라고 쓰시오.

(   )   (   )

예제 2 각도의 합과 차

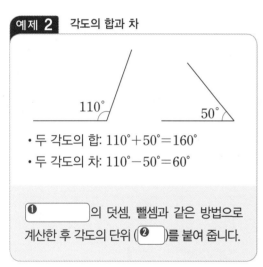

110°

50°

· 두 각도의 합: 110°+50°=160°
· 두 각도의 차: 110°−50°=60°

①[   ]의 덧셈, 뺄셈과 같은 방법으로 계산한 후 각도의 단위 (**②**[   ])를 붙여 줍니다.

[답] ❶ 자연수 ❷ °

2 두 각도의 합과 차를 구하시오.

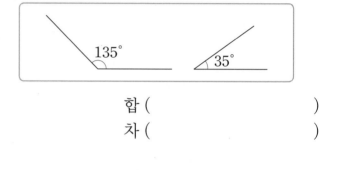

135°

35°

합 (   )

차 (   )

예제 3 삼각형 또는 사각형의 각의 크기의 합

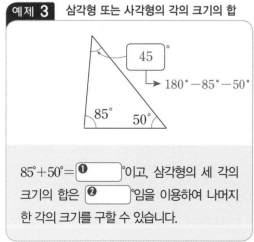

45°

→ 180°−85°−50°

85°

50°

85°+50°=**①**[   ]°이고, 삼각형의 세 각의 크기의 합은 **②**[   ]°임을 이용하여 나머지 한 각의 크기를 구할 수 있습니다.

[답] ❶ 135 ❷ 180

3 ☐ 안에 알맞은 수를 써넣으시오.

110°

80°

75°

°

사각형의 네 각의 크기의 합은 360°임을 이용해요.

예제 4 평면도형을 밀기

㉮ 도형을 오른쪽으로 밀기

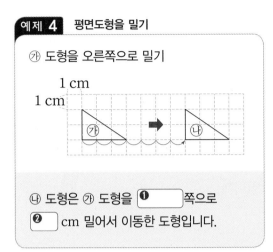

㉯ 도형은 ㉮ 도형을 ❶ [ ] 쪽으로
❷ [ ] cm 밀어서 이동한 도형입니다.

[답] ❶ 오른 ❷ 7

4 가 도형을 오른쪽으로 8 cm 밀었을 때의 도형을 그리시오.

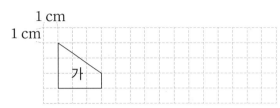

예제 5 평면도형을 돌리기

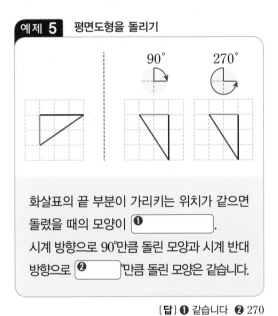

화살표의 끝 부분이 가리키는 위치가 같으면
돌렸을 때의 모양이 ❶ [ ].
시계 방향으로 90°만큼 돌린 모양과 시계 반대
방향으로 ❷ [ ] 만큼 돌린 모양은 같습니다.

[답] ❶ 같습니다 ❷ 270

5 오른쪽 도형을 시계 방향으로 180°만
큼 돌린 도형과 시계 반대 방향으로
180°만큼 돌린 도형을 각각 그리고
비교하시오.

그린 두 모양은 서로 (같습니다 , 다릅니다).

예제 6 일정한 규칙에 따라 무늬 만들기

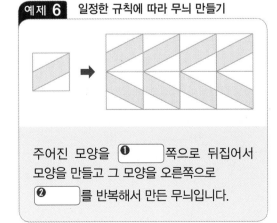

주어진 모양을 ❶ [ ] 쪽으로 뒤집어서
모양을 만들고 그 모양을 오른쪽으로
❷ [ ] 를 반복해서 만든 무늬입니다.

[답] ❶ 아래 ❷ 밀기

6 왼쪽 모양으로 만든 무늬를 보고 알맞은 말에 ○표
하시오.

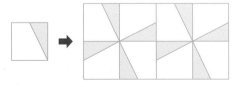

주어진 모양을 시계 방향으로 (90° , 180°)만큼
돌리는 것을 반복해서 모양을 만들고 그 모양을
오른쪽으로 (밀어서 , 뒤집어서) 만든 무늬입니다.

전략 1 예각, 둔각 분류하기

[관련 단원] 각도

예 예각의 개수 구하기

㉠ 55°	㉡ 120°	㉢ 60°
㉣ 105°	㉤ 95°	㉥ 75°

직각(90°)을 기준으로 구분해 보세요.

(1) 예각은 각도가 **❶**⬚°보다 크고 **❷**⬚°보다 작은 각입니다.

(2) 예각은 ㉠, **❸**⬚, **❹**⬚으로 모두 **❺**⬚개입니다.

답 ❶ 0 ❷ 90 ❸ ㉢ ❹ ㉥ ❺ 3

필수 예제 | 01 |

둔각은 모두 몇 개인지 구하시오.

㉠ 90°	㉡ 150°	㉢ 50°
㉣ 85°	㉤ 180°	㉥ 125°

(1) 둔각을 모두 찾아 기호를 쓰시오.　　　　　　　　(　　　　　　　)

(2) 둔각은 모두 몇 개인지 구하시오.　　　　　　　　(　　　　　　　)

풀이 | (1) 둔각은 각도가 90°보다 크고 180°보다 작은 각이므로 ㉡, ㉥입니다.
　　　(2) 둔각은 모두 2개입니다.

확인 1-1

주어진 각 중 예각은 모두 몇 개인지 구하시오.

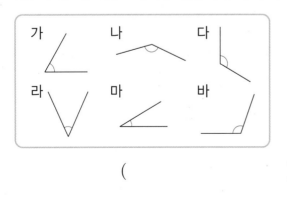

(　　　　　　　)

확인 1-2

주어진 각 중 둔각은 모두 몇 개인지 구하시오.

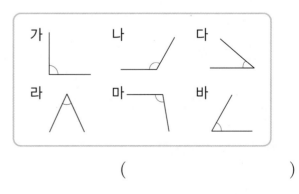

(　　　　　　　)

전략 2 각도의 합과 차 구하기

[관련 단원] 각도

예 **가장 큰 각도와 가장 작은 각도의 합 구하기**

| 85° | 65° | 120° |

(1) 각도의 크기를 비교하여 큰 각도부터 차례로 쓰면 ❶[   ]°, ❷[   ]°, ❸[   ]°입니다.

(2) 가장 큰 각도는 ❹[   ]°이고, 가장 작은 각도는 ❺[   ]°입니다.

(3) 가장 큰 각도와 가장 작은 각도의 합은 ❻[   ]°+❼[   ]°=❽[   ]°입니다.

답 ❶ 120 ❷ 85 ❸ 65 ❹ 120 ❺ 65 ❻ 120 ❼ 65 ❽ 185

필수 예제 02

가장 큰 각도와 가장 작은 각도의 차를 구하시오.

| 110° | 75° | 80° |

각도의 크기를 비교해 봐요.

(1) 가장 큰 각도와 가장 작은 각도를 차례로 쓰시오.

(   ), (   )

(2) 가장 큰 각도와 가장 작은 각도의 차를 구하시오.

(   )

풀이 | (1) 각도의 크기를 비교하여 큰 각도부터 차례로 쓰면 110°, 80°, 75°이므로 가장 큰 각도는 110°이고, 가장 작은 각도는 75°입니다.

(2) 가장 큰 각도와 가장 작은 각도의 차는 110°−75°=35°입니다.

확인 2-1

가장 큰 각도와 가장 작은 각도의 합을 구하시오.

| 95° | 105° | 40° |

(   )

확인 2-2

가장 큰 각도와 가장 작은 각도의 차를 구하시오.

| 142° | 89° | 70° |

(   )

전략 **3** 처음 도형 그리기

[관련 단원] 평면도형의 이동

예 어떤 도형을 시계 방향으로 90°만큼 돌린 도형을 보고 처음 도형 그리기

처음 도형

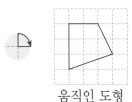

움직인 도형

> 움직였던 만큼 거꾸로 움직이면 처음 도형을 알 수 있습니다.

(1) 처음 도형을 그리는 방법 알아보기

　처음 도형은 움직인 도형을 시계 반대 방향으로 ❶ [　　] °만큼 돌린 도형과 같습니다.

(2) 처음 도형 그리기

　움직인 도형의 위쪽이 ❷ [　　] 쪽으로 이동한 모양을 위의 빈 모눈종이에 그립니다.

답 ❶ 90 ❷ 왼 ❸

필수예제 | 03 |

어떤 도형을 시계 반대 방향으로 90°만큼 돌린 도형은 다음과 같습니다. 처음 도형을 그리시오.

처음 도형 　　　　　움직인 도형

풀이 | 처음 도형은 움직인 도형을 시계 방향으로 90°만큼 돌린 도형과 같습니다.
움직인 도형의 위쪽이 오른쪽으로 이동한 모양을 그립니다.

확인 **3**-1

어떤 도형을 시계 방향으로 180°만큼 돌린 도형은 다음과 같습니다. 처음 도형을 그리시오.

처음 도형 　　　움직인 도형

확인 **3**-2

어떤 도형을 시계 반대 방향으로 270°만큼 돌린 도형은 다음과 같습니다. 처음 도형을 그리시오.

처음 도형 　　　움직인 도형

전략 4 | 여러 번 뒤집은 도형 그리기

[관련 단원] 평면도형의 이동

예 주어진 도형을 왼쪽으로 3번 뒤집었을 때의 도형 그리기

도형을 같은 방향으로 2번 뒤집으면 처음 도형과 같습니다.

(1) 왼쪽으로 3번 뒤집은 도형은 왼쪽으로 몇 번 뒤집은 도형과 같은지 알아보기

왼쪽으로 3번 뒤집은 도형은 왼쪽으로 1번 **❶**[   ] 도형과 같습니다.

(2) 왼쪽으로 3번 뒤집었을 때의 도형 그리기

왼쪽으로 1번 뒤집은 도형과 같으므로 도형의 왼쪽과 **❷**[   ]이 서로 바뀐 모양을 위의 빈 모눈종이에 그립니다.

답 **❶** 뒤집은 **❷** 오른쪽 **❸** (도형)

필수예제 04

주어진 도형을 아래쪽으로 3번 뒤집었을 때의 도형을 그리시오.

풀이 | 아래쪽으로 3번 뒤집은 도형은 아래쪽으로 1번 뒤집은 도형과 같습니다.
도형의 위쪽과 아래쪽이 서로 바뀐 모양을 그립니다.

확인 4-1

주어진 도형을 오른쪽으로 4번 뒤집었을 때의 도형을 그리시오.

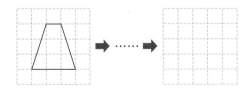

확인 4-2

주어진 도형을 위쪽으로 5번 뒤집었을 때의 도형을 그리시오.

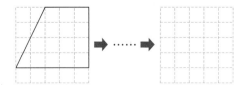

[관련 단원] 각도

1 계산 결과가 큰 것부터 차례로 기호를 쓰시오.

> ㉠ $50° + 60°$ ㉡ $135° - 20°$ ㉢ $100° - 15°$

( )

Tip

· 각도의 합과 차를 구합니다.

· 위에서 구한 계산 결과의 크기를 비교하여 각도가 **❶** 것부터 차례로 **❷** 를 씁니다.

답 ❶ 큰 ❷ 기호

[관련 단원] 각도

2 도형에서 각 ㄴㅇㄷ은 몇 도인지 구하시오.

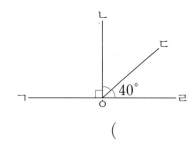

( )

Tip

· 직선이 이루는 각도는 **❶** °입니다.

· 각 ㄱㅇㄴ의 크기가 **❷** °임을 이용하여 각 ㄴㅇㄷ의 크기를 구합니다.

답 ❶ 180 ❷ 90

각 ㄱㅇㄴ은 직각입니다.

[관련 단원] 각도

3 크고 작은 둔각은 모두 몇 개인지 구하시오.

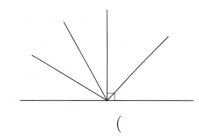

( )

Tip

· 작은 각 3개로 이루어진 **❶** 과 작은 각 **❷** 개로 이루어진 둔각의 수를 각각 구합니다.

· 찾은 둔각의 개수를 모두 더합니다.

답 ❶ 둔각 ❷ 4

▶정답 및 풀이 11쪽

4 도형을 ^❶오른쪽으로 7 cm 밀고 ^❷아래쪽으로 4 cm 밀었을 때의 도형을 그리시오.

[관련 단원] 평면도형의 이동

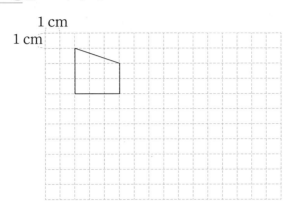

5 도형을 오른쪽으로 뒤집고 시계 반대 방향으로 180°만큼 돌렸을 때의 도형을 각각 그리시오.

[관련 단원] 평면도형의 이동

6 보기 에서 알맞은 도형을 골라 ☐ 안에 기호를 써넣으시오.

[관련 단원] 평면도형의 이동

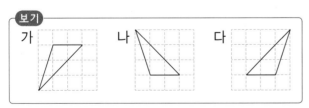

☐ 도형을 시계 방향으로 180°만큼 돌리면 다 도형이 됩니다.

가와 나 도형을 각각 시계 방향으로 180°만큼 돌려 보고 다 도형이 되는 것을 찾아도 됩니다.

전략 1   삼각형에서 각의 크기 구하기   [관련 단원] 각도

예 도형에서 각 ㄱㄴㄷ의 크기 구하기

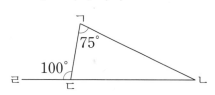

먼저 각 ㄱㄷㄴ의 크기를 구해 보세요.

(1) 각 ㄱㄷㄴ의 크기 구하기

직선이 이루는 각도는 [❶   ]°이므로 (각 ㄱㄷㄴ)=180°−100°=[❷   ]°입니다.

(2) 각 ㄱㄴㄷ의 크기 구하기

삼각형에서 세 각의 크기의 합은 180°이므로

(각 ㄱㄴㄷ)=180°−75°−[❸   ]°=[❹   ]°입니다.

답 ❶ 180 ❷ 80 ❸ 80 ❹ 25

필수예제 01

도형에서 각 ㄱㄴㄷ의 크기를 구하시오.

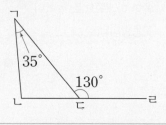

(1) 각 ㄱㄷㄴ의 크기를 구하시오.

(   )

(2) 각 ㄱㄴㄷ의 크기를 구하시오.

(   )

풀이 | (1) 직선이 이루는 각도는 180°이므로 (각 ㄱㄷㄴ)=180°−130°=50°입니다.
　　　(2) 삼각형의 세 각의 크기의 합은 180°이므로 (각 ㄱㄴㄷ)=180°−35°−50°=95°입니다.

확인 1-1

도형에서 ㉠의 각도를 구하시오.

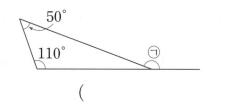

(   )

확인 1-2

도형에서 ㉠의 각도를 구하시오.

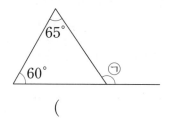

(   )

▶정답 및 풀이 12쪽

전략 ② **사각형에서 각의 크기 구하기** [관련 단원] 각도

예 도형에서 ㉠의 각도 구하기

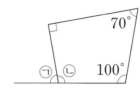

㉠과 ㉡의 각도의 합은 180°예요.

(1) ㉡의 각도 구하기

사각형의 네 각의 크기의 합은 ❶[ ]°이므로

㉡=360°−90°−70°−100°=❷[ ]°입니다.

(2) ㉠의 각도 구하기

직선이 이루는 각도는 180°이므로 ㉠=180°−㉡=180°−❸[ ]°=❹[ ]°입니다.

답 ❶ 360 ❷ 100 ❸ 100 ❹ 80

필수예제 02

도형에서 ㉠의 각도를 구하시오.

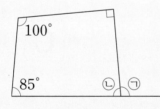

(1) ㉡의 각도를 구하시오.

( )

(2) ㉠의 각도를 구하시오.

( )

풀이 | (1) 사각형의 네 각의 크기의 합은 360°이므로 ㉡=360°−90°−100°−85°=85°입니다.
(2) 직선이 이루는 각도는 180°이므로 ㉠=180°−㉡=180°−85°=95°입니다.

확인 2-1

도형에서 ㉠의 각도를 구하시오.

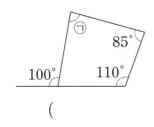

( )

확인 2-2

도형에서 ㉠의 각도를 구하시오.

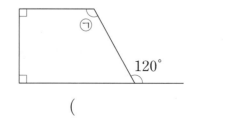

( )

전략 3 뒤집었을 때 처음 모양과 같은 것 찾기   [관련 단원] 평면도형의 이동

예 오른쪽으로 뒤집었을 때의 모양이 처음 모양과 같은 알파벳 찾기

T D H L

(1) 오른쪽으로 뒤집었을 때의 모양 그리기

T ❶, D ❷, H ❸, L ❹

(2) 오른쪽으로 뒤집었을 때의 모양이 처음 모양과 같은 알파벳은 ❺ , ❻ 입니다.

답 ❶T ❷D ❸H ❹L ❺H ❻T

필수 예제 03

왼쪽으로 뒤집었을 때의 모양이 처음 모양과 같은 알파벳을 모두 찾아 쓰시오.

M E A C

(1) 왼쪽으로 뒤집은 모양을 각각 그리시오.

M , E , A , C

(2) 왼쪽으로 뒤집었을 때의 모양이 처음 모양과 같은 알파벳을 모두 찾아 쓰시오.

(   )

풀이 │ (1) 왼쪽으로 뒤집으면 왼쪽과 오른쪽이 서로 바뀝니다.
    (2) 왼쪽으로 뒤집었을 때의 모양이 처음 모양과 같은 알파벳은 왼쪽과 오른쪽의 모양이 같은 알파벳입니다.

확인 3-1

위쪽으로 뒤집었을 때의 모양이 처음 모양과 같은 글자를 모두 찾아 쓰시오.

(   )

확인 3-2

아래쪽으로 뒤집었을 때의 모양이 처음 모양과 같은 글자를 모두 찾아 쓰시오.

ㅎ ㅁ ㅍ ㅂ

(   )

전략 4   무늬 완성하기

[관련 단원] 평면도형의 이동

예  모양을 이용하여 규칙적인 무늬 완성하기

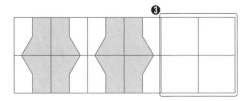

밀기, 뒤집기, 돌리기 중 어느 방법으로 꾸민 무늬인지 알아봐요.

(1) 만든 무늬의 규칙 찾기

모양을 아래쪽으로 ❶[   ]어서 모양을 만들고 그 모양을 ❷[   ]쪽으로 뒤집는 것을 반복해서 만든 무늬입니다.

(2) 위의 빈 곳을 채워 규칙적인 무늬를 완성합니다.

답 ❶ 뒤집 ❷ 오른 ❸

필수예제 04

모양을 이용하여 규칙적인 무늬를 완성하시오.

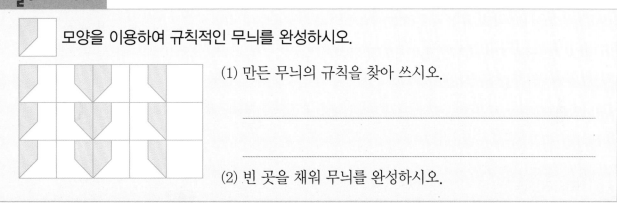

(1) 만든 무늬의 규칙을 찾아 쓰시오.

_____

_____

(2) 빈 곳을 채워 무늬를 완성하시오.

풀이 | (1) 오른쪽에는 왼쪽과 오른쪽이 바뀐 모양이 있고, 아래쪽에는 위쪽과 같은 모양이 있습니다.
(2) 규칙에 따라 빈 곳에 무늬를 그립니다.

확인 4-1

주어진 모양을 이용하여 규칙적인 무늬를 완성하시오.

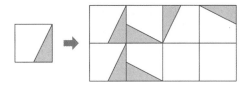

확인 4-2

주어진 모양을 이용하여 규칙적인 무늬를 완성하시오.

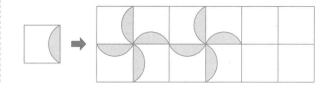

[관련 단원] 각도

1 ❶두 직각 삼각자를 겹쳐서 ㉠을 만든 것입니다. ❷㉠의 각도를 구하시오.

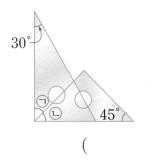

(   )

[관련 단원] 각도

2 도형에서 ㉠은 몇 도인지 구하시오.

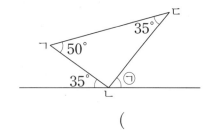

(   )

[관련 단원] 각도

3 그림과 같은 도형이 있습니다. 5개의 각의 크기의 합을 구하시오.

한 꼭짓점에서 선을 그어 삼각형과 사각형으로 나누어 보세요.

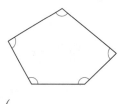

(   )

[관련 단원] **평면도형의 이동**

4 오른쪽 도형을 주어진 방향으로 돌렸을 때 서로 같은 모양끼리 짝 지은 것을 찾아 기호를 쓰시오.

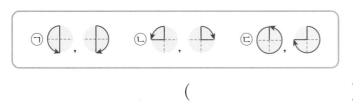

( )

[관련 단원] **평면도형의 이동**

5 두 자리 수가 적힌 카드를 **①**시계 방향으로 180°만큼 돌렸을 때 만들어지는 수와 **②**처음 수의 차를 구하시오.

( )

[관련 단원] **평면도형의 이동**

6 다음 중 모양으로 돌리기만 이용하여 만든 무늬를 찾아 기호를 쓰시오.

ⓐ 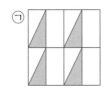 ⓑ 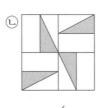 ⓒ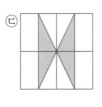

( )

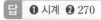

대표 예제 01

각도의 합과 차를 구하여 각도가 더 큰 것의 기호를 쓰시오.

| ㉠ $100°-30°$ | ㉡ $45°+20°$ |

( )

개념가이드

㉠ $100°-30°=$ ⓵ ⬚ $°$

㉡ $45°+20°=$ ⓶ ⬚ $°$

각도를 비교하여 각도가 더 큰 것을 찾습니다.

[답] ❶ 70 ❷ 65

대표 예제 03

⬚ 안에 알맞은 수를 써넣으시오.

$$75°+ \boxed{}° = 160°$$

개념가이드

$75°+■°=160°$를 덧셈과 뺄셈의 관계를 이용하여

$■°=$ ⓵ ⬚ $°-$ ⓶ ⬚ $°$로 구할 수 있습니다.

[답] ❶ 160 ❷ 75

대표 예제 02

주어진 선분을 한 변으로 하는 둔각을 그리려고 합니다. 점 ㄱ과 이어야 하는 점은 어느 것입니까? ( )

① ② ③ ④
• • • •

ㄱ •———————

개념가이드

둔각이 되도록 그리려면 각의 두 변이 벌어진 정도가 ⓵ ⬚ $°$보다 크고 ⓶ ⬚ $°$보다 작아야 합니다.

[답] ❶ 90 ❷ 180

대표 예제 04

예각과 둔각을 분류하여 기호를 쓰시오.

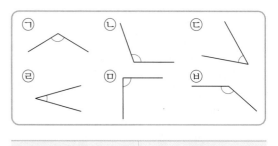

예각	둔각

개념가이드

예각은 각도가 0°보다 크고 ⓵ ⬚ $°$보다 작고, 둔각은 각도가 90°보다 크고 ⓶ ⬚ $°$보다 작습니다.

[답] ❶ 90 ❷ 180

항상 널
응원해!

대표 예제 | 05 |

삼각형에서 ㉠과 ㉡의 각도의 합을 구하시오.

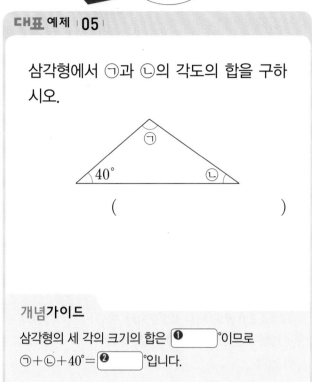

(   )

개념가이드

삼각형의 세 각의 크기의 합은 ❶ ▢▢▢ °이므로
㉠+㉡+40°= ❷ ▢▢▢ °입니다.

[답] ❶ 180 ❷ 180

대표 예제 | 07 |

㉠의 각도를 구하시오.

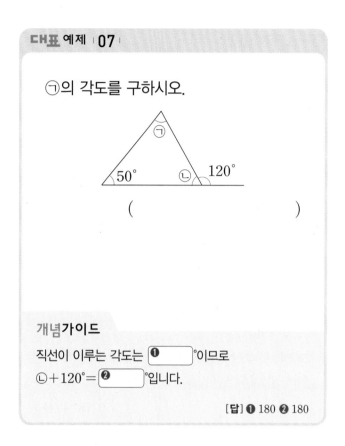

(   )

개념가이드

직선이 이루는 각도는 ❶ ▢▢▢ °이므로
㉡+120°= ❷ ▢▢▢ °입니다.

[답] ❶ 180 ❷ 180

대표 예제 | 06 |

㉠의 각도를 구하시오.

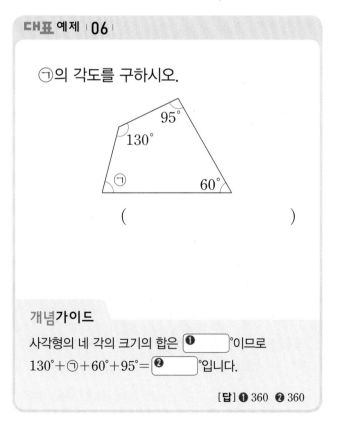

(   )

개념가이드

사각형의 네 각의 크기의 합은 ❶ ▢▢▢ °이므로
130°+㉠+60°+95°= ❷ ▢▢▢ °입니다.

[답] ❶ 360 ❷ 360

대표 예제 | 08 |

사각형에서 ㉠과 ㉡의 각도의 합을 구하시오.

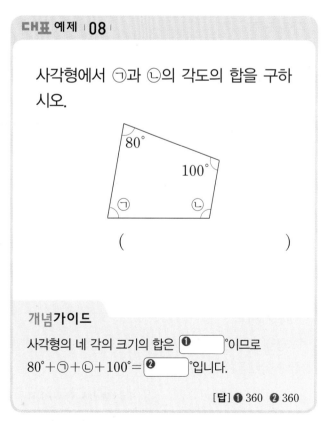

(   )

개념가이드

사각형의 네 각의 크기의 합은 ❶ ▢▢▢ °이므로
80°+㉠+㉡+100°= ❷ ▢▢▢ °입니다.

[답] ❶ 360 ❷ 360

대표 예제 | 09 |

도형을 왼쪽으로 5 cm 밀었을 때의 도형을 그리시오.

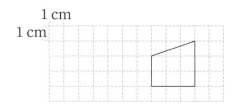

개념가이드

도형의 한 변을 기준으로 ❶[　]으로 모눈 ❷[　]칸 만큼 밀었을 때의 모양을 그립니다.

[답] ❶ 왼쪽 ❷ 5

대표 예제 | 11 |

가운데 도형을 왼쪽으로 뒤집은 도형과 오른쪽으로 뒤집은 도형을 각각 그리고, 그린 두 도형을 비교하시오.

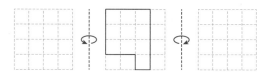

왼쪽과 오른쪽으로 뒤집은 두 도형은 서로 (같습니다 , 다릅니다).

개념가이드

도형을 왼쪽으로 뒤집으면 왼쪽과 ❶[　]이 서로 바뀌고, 오른쪽으로 뒤집으면 오른쪽과 ❷[　]이 서로 바뀝니다.

[답] ❶ 오른쪽 ❷ 왼쪽

대표 예제 | 10 |

도형을 시계 반대 방향으로 360°만큼 돌렸을 때의 도형을 그리시오.

개념가이드

도형을 시계 방향 또는 시계 ❶[　] 방향으로 360° 만큼 돌린 도형은 처음 도형과 ❷[　].

[답] ❶ 반대 ❷ 같습니다

대표 예제 | 12 |

도형을 시계 반대 방향으로 90°만큼 돌렸을 때의 도형을 그리시오.

개념가이드

도형을 시계 반대 방향으로 90°만큼 돌리면 위쪽이 ❶[　]으로, 왼쪽이 ❷[　]으로 이동합니다.

[답] ❶ 왼쪽 ❷ 아래쪽

넌 최고로 잘하고 있어!

대표 예제 13

그림을 보고 ☐ 안에 알맞은 수를 써넣으시오.

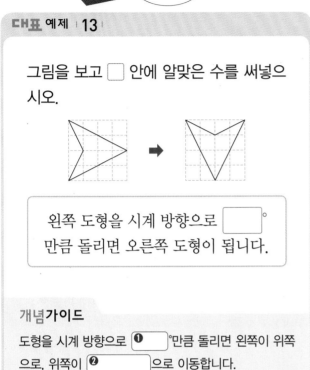

> 왼쪽 도형을 시계 방향으로 ☐°
> 만큼 돌리면 오른쪽 도형이 됩니다.

개념가이드

도형을 시계 방향으로 ❶ ☐°만큼 돌리면 왼쪽이 위쪽으로, 위쪽이 ❷ ☐으로 이동합니다.

[답] ❶ 90 ❷ 오른쪽

대표 예제 14

세 자리 수가 적힌 카드를 아래쪽으로 뒤집었을 때 만들어지는 수를 구하시오.

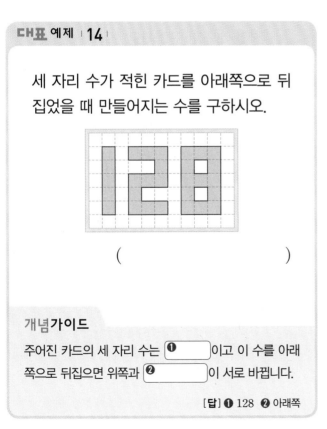

( )

개념가이드

주어진 카드의 세 자리 수는 ❶ ☐이고 이 수를 아래쪽으로 뒤집으면 위쪽과 ❷ ☐이 서로 바뀝니다.

[답] ❶ 128 ❷ 아래쪽

대표 예제 15

도형을 오른쪽으로 뒤집고 시계 방향으로 180°만큼 돌린 도형을 각각 그리시오.

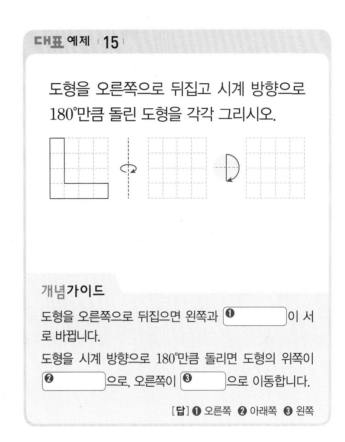

개념가이드

도형을 오른쪽으로 뒤집으면 왼쪽과 ❶ ☐이 서로 바뀝니다.
도형을 시계 방향으로 180°만큼 돌리면 도형의 위쪽이 ❷ ☐으로, 오른쪽이 ❸ ☐으로 이동합니다.

[답] ❶ 오른쪽 ❷ 아래쪽 ❸ 왼쪽

대표 예제 16

☐ 모양으로 만든 규칙적인 무늬를 완성하시오.

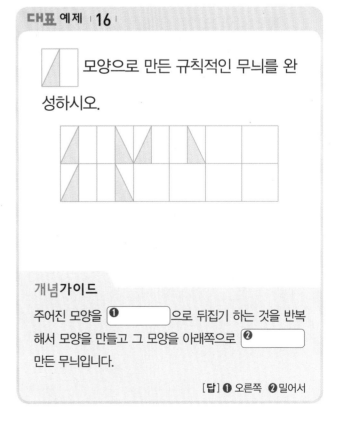

개념가이드

주어진 모양을 ❶ ☐으로 뒤집기 하는 것을 반복해서 모양을 만들고 그 모양을 아래쪽으로 ❷ ☐ 만든 무늬입니다.

[답] ❶ 오른쪽 ❷ 밀어서

1 도형에서 ㉠의 각도를 구하시오.

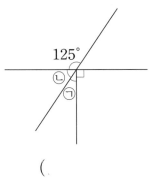

( )

Tip

직선이 이루는 각도는 **❶** °이므로

㉡=180°-125°=**❷** °입니다.

답 **❶** 180 **❷** 55

2 시계의 긴바늘과 짧은바늘이 이루는 작은 쪽의 각의 크기는 몇 도인지 구하시오.

( )

Tip

시곗바늘이 한 바퀴 돌았을 때의 각의 크기는 360°이므로

❶ 시일 때 시계의 긴바늘과 짧은바늘이 이루는 작은 쪽의 각의 크기는 **❷** °÷12입니다.

답 **❶** 1 **❷** 360

3 두 직각 삼각자를 겹치지 않게 놓았습니다. □ 안에 알맞은 수를 써넣으시오.

직각 삼각자는 한 각이 직각이에요.

Tip

왼쪽 직각 삼각자의 세 각의 크기는 30°, 60°, **❶** °이고, 오른쪽 직각 삼각자의 세 각의 크기는 90°, 45°, **❷** °입니다.

답 **❶** 90 **❷** 45

4 그림에서 찾을 수 있는 크고 작은 둔각은 모두 몇 개인지 구하시오.

둔각은 직각보다 크고 180°보다 작은 각이에요.

( )

Tip

작은 각 2개로 이루어진 둔각과 작은 각 **❶** 개로 이루어진 둔각의 개수를 각각 구한 후 모두 **❷** .

답 **❶** 3 **❷** 더합니다

5 가 조각을 밀어서 정사각형 모양을 완성하려고 합니다. 어떻게 밀어야 하는지 □ 안에 알맞게 써넣으시오.

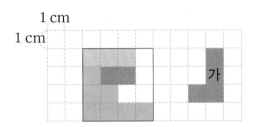

가 조각을 □ 으로 □ cm만큼 밀어야 합니다.

Tip

정사각형 모양을 완성하려면 가 조각을 **❶**□ 으로 모눈 **❷**□ 칸만큼 밀어야 합니다.

답 **❶** 왼쪽 **❷** 4

6 왼쪽 도형을 시계 반대 방향으로 돌렸더니 오른쪽 도형이 되었습니다. 왼쪽 도형을 시계 반대 방향으로 몇 도만큼 돌린 것인지 구하시오.

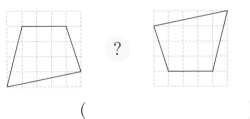

( )

Tip

도형의 위쪽이 **❶**□ 으로 이동했고, 왼쪽이 **❷**□ 으로 이동했습니다.

답 **❶** 아래쪽 **❷** 오른쪽

7 두 자리 수가 적힌 카드를 시계 방향으로 180°만큼 돌렸을 때 만들어지는 수와 처음 수의 합을 구하시오.

( )

Tip

처음 수는 **❶**□ 입니다. 카드를 시계 방향으로 180°만큼 돌렸을 때 만들어지는 수는 **❷**□ 입니다.

답 **❶** 65 **❷** 59

8 일정한 규칙에 따라 만들어진 무늬입니다. 빈 곳에 알맞은 모양을 그리시오.

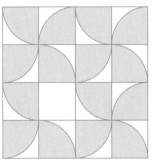

Tip

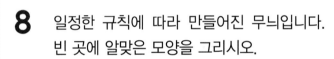 모양을 시계 방향으로 **❶**□ °만큼 돌리는 것을 반복해서 모양을 만들고 그 모양을 오른쪽과 아래쪽으로 **❷**□ 무늬를 만든 것입니다.

답 **❶** 90 **❷** 밀어서

2_주 누구나 만점 전략

맞은 개수

개

01 각 ㄹㄴㄷ은 몇 도인지 쓰시오.

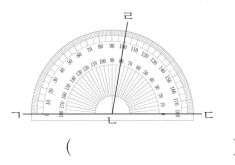

(   )

02 시계의 긴바늘과 짧은바늘이 이루는 작은 쪽의 각은 예각, 둔각 중 어느 것인지 쓰시오.

(   )

03 삼각형에서 ㉠과 ㉡의 각도의 합을 구하시오.

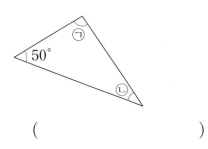

(   )

04 사각형에서 ☐ 안에 알맞은 수를 써넣으시오.

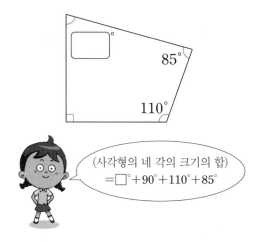

(사각형의 네 각의 크기의 합)
$= ☐° + 90° + 110° + 85°$

05 그림에서 찾을 수 있는 크고 작은 예각은 모두 몇 개인지 구하시오.

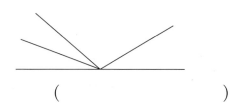

(   )

06 ㉯ 도형은 ㉮ 도형을 아래쪽으로 몇 cm 밀어서 이동한 것인지 구하시오.

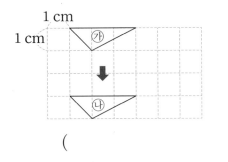

(   )

07 왼쪽 도형을 움직여서 오른쪽 도형을 만들었습니다. 어떻게 움직인 것인지 알맞은 말에 ○표 하시오.

왼쪽 도형을 (아래쪽 , 오른쪽)으로 뒤집은 도형입니다.

08 도형을 시계 반대 방향으로 90°만큼 돌렸을 때의 도형을 그리시오.

09 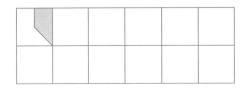 모양을 시계 방향으로 90°만큼 돌리는 것을 반복해서 모양을 만들고 그 모양을 오른쪽으로 밀어서 규칙적인 무늬를 만드시오.

10 카드를 시계 방향으로 180°만큼 돌렸을 때 만들어지는 수와 처음 수의 합을 구하시오.

먼저 카드를 시계 방향으로 180°만큼 돌렸을 때 만들어지는 수를 구해 봐요.

(   )

창의 융합

1 각도기를 이용하여 그네와 미끄럼틀에 표시된 각은 각각 몇 도인지 재어 보시오.

그네 (　　　　　　　　　　)

미끄럼틀 (　　　　　　　　　　)

2 위 그림에서 ▟ 블록을 빈 곳에 넣어 3줄을 없애려면 시계 방향으로 몇 도만큼 돌려야 합니까?

(   )

창의·융합·코딩 전략 ❷

2주

문제 해결

1 다음과 같이 케이크를 똑같이 나누어서 먹고 한 조각씩 남았습니다. 가와 나 중 어떤 케이크 조각의 각도가 몇 도 더 큰지 구하시오.

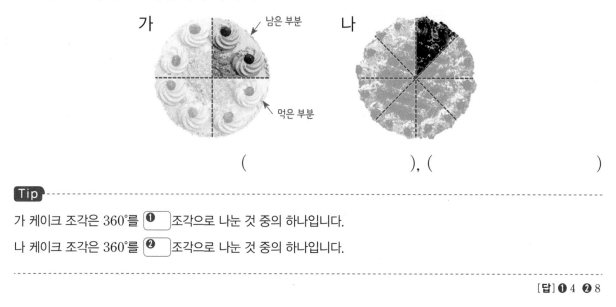

가   남은 부분

나

먹은 부분

(   ), (   )

Tip

가 케이크 조각은 360°를 ❶☐ 조각으로 나눈 것 중의 하나입니다.

나 케이크 조각은 360°를 ❷☐ 조각으로 나눈 것 중의 하나입니다.

[답] ❶ 4   ❷ 8

창의 융합

2 길의 시작부터 끝까지 표시된 각 중에서 예각과 둔각은 각각 몇 개인지 구하시오.

시작   끝

예각 (   ), 둔각 (   )

Tip

예각은 각도가 ❶☐°보다 크고 ❷☐°보다 작은 각입니다.

둔각은 각도가 ❸☐°보다 크고 ❹☐°보다 작은 각입니다.

[답] ❶ 0   ❷ 90   ❸ 90   ❹ 180

추론

3 삼각형의 한 변에 있는 세 각도의 합이 삼각형의 세 각의 크기의 합이 되도록 빈 곳에 알맞은 각도를 써넣으시오.

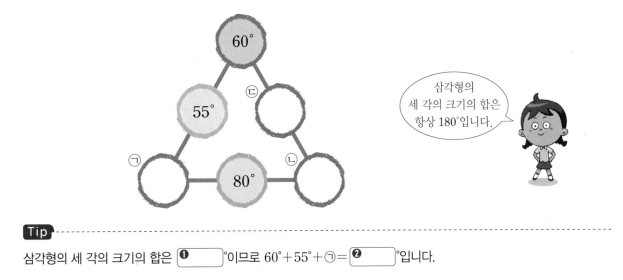

> 삼각형의 세 각의 크기의 합은 항상 180°입니다.

Tip

삼각형의 세 각의 크기의 합은 **❶**[   ]°이므로 60°+55°+㉠=**❷**[   ]°입니다.

[답] **❶** 180 **❷** 180

문제 해결

4 정사각형 모양의 색종이를 접어서 만든 ㉠의 각도를 구하시오.

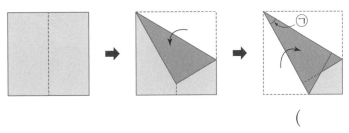

(   )

Tip

색종이는 정사각형이므로 한 각의 크기는 **❶**[   ]°이고, ㉠은 정사각형의 한 각을 똑같이 **❷**[   ]부분으로 나눈 것 중의 하나입니다.

[답] **❶** 90 **❷** 3

5 다음과 같은 도장을 연습장의 왼쪽에 찍고 덮었다 펼쳤습니다. 연습장의 양쪽에 찍힌 모양을 각각 그리시오.

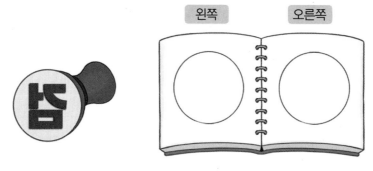

Tip

도장을 찍은 왼쪽은 도장에 새겨진 모양과 비교했을 때 왼쪽과 ❶ [   ]이 서로 바뀐 모양이 찍힙니다.

연습장의 오른쪽에는 도장을 찍은 왼쪽에 생긴 모양과 비교했을 때 ❷ [   ]과 오른쪽이 서로 바뀐 모양이 찍힙니다.

[답] ❶ 오른쪽 ❷ 왼쪽

6 거울에 비친 시계의 모습입니다. 시계에 시곗바늘을 그리고 시계가 가리키는 시각은 몇 시인지 쓰시오.

(　　　　　　　　　　　　　)

Tip

거울에 비친 모습은 시계를 왼쪽 또는 ❶ [   ]으로 ❷ [   ] 한 것과 같습니다.

[답] ❶ 오른쪽 ❷ 뒤집기

7 일정한 규칙에 따라 도형을 움직인 것입니다. 빈 곳에 알맞게 그리시오.

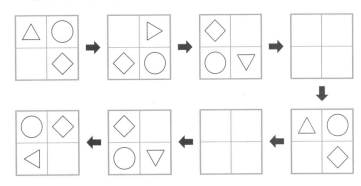

Tip

①②④③ 에서 △ 모양의 위치가 ①, ②, ③, ④의 순서로 이동하므로 **❶**〔　　　〕 방향으로 이동하고 있습니다.

△ 모양이 △, ▷, ▽, ◁ 모양으로 바뀌므로 시계 방향으로 **❷**〔　　　〕°만큼 돌린 것입니다.

[답] ❶ 시계 ❷ 90

8 조각을 움직여서 정사각형을 완성하려고 합니다. 빈 곳에 들어갈 수 있는 조각을 찾아 기호를 쓰시오.

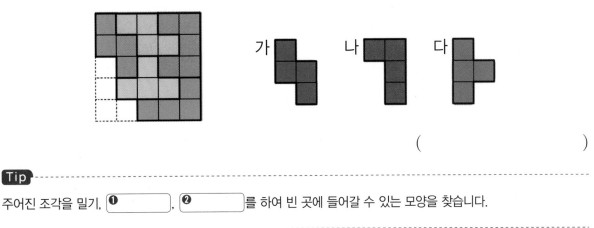

(　　　　　　　　　)

Tip

주어진 조각을 밀기, **❶**〔　　　〕, **❷**〔　　　〕를 하여 빈 곳에 들어갈 수 있는 모양을 찾습니다.

[답] ❶ 뒤집기 ❷ 돌리기 (또는 ❶ 돌리기 ❷ 뒤집기)

막대그래프, 규칙 찾기

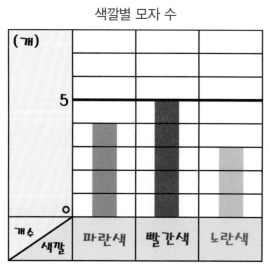

학습할 내용

❶ 막대그래프 알아보기
❷ 막대그래프의 내용 알아보기
❸ 막대그래프로 나타내기
❹ 수의 배열에서 규칙 찾기
❺ 도형의 배열에서 규칙 찾기
❻ 계산식에서 규칙 찾기

개념 1 막대그래프 알아보기

[관련 단원] 막대그래프

● **막대그래프**: 조사한 자료의 수를 막대 모양으로 나타낸 그래프

좋아하는 운동별 학생 수

운동	야구	농구	축구	배구	합계
학생 수(명)	5	4	6	7	22

좋아하는 운동별 학생 수

• 가로는 운동, 세로는 학생 수를 나타냅니다.
• 세로 눈금 한 칸은 1명을 나타냅니다.

• 왼쪽 막대그래프에서 막대의 길이는 좋아하는 운동별 **❶** 를 나타냅니다.
• 가장 많은 학생들이 좋아하는 운동은 배구입니다.
• 표는 항목별 수량을 알아보기 편리하고, **❷** 그래프는 항목별 수량의 많고 적음을 한눈에 비교하기 편리합니다.

답 ❶ 학생 수 ❷ 막대

개념 2 막대그래프로 나타내기

[관련 단원] 막대그래프

● **막대그래프로 나타내는 방법**

배우고 있는 악기별 학생 수

악기	바이올린	플루트	피아노	첼로	합계
학생 수(명)	6	5	8	3	22

① 가로와 세로 중 어느 쪽에 조사한 수를 나타낼 것인가를 정합니다.
② 눈금 한 칸의 크기를 정하고, 조사한 수 중 가장 큰 수를 나타낼 수 있도록 눈금의 수를 정합니다.
③ 조사한 수에 맞도록 막대를 그리고 막대그래프에 알맞은 제목을 붙입니다.

배우고 있는 악기별 학생 수

• 왼쪽 표를 보고 막대그래프로 나타낼 때 세로 눈금 한 칸의 크기를 **❶** 명으로 나타내었습니다.
• 왼쪽의 막대그래프는 **❷** 에 조사한 수를 나타내었습니다.

가로에 조사한 수를 나타내면 막대가 가로인 막대그래프로 나타낼 수 있어요.

답 ❶ 1 ❷ 세로

1-1 지훈이네 반 학생들이 좋아하는 과목별 학생 수를 조사하여 나타낸 막대그래프입니다. 가장 많은 학생들이 좋아하는 과목은 무엇입니까?

좋아하는 과목별 학생 수

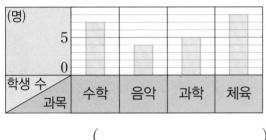

(   )

• **풀이** • 막대그래프에서 **❶**[   ]의 길이가 길수록 좋아하는 과목별 학생 수가 **❷**[   ].

답 **❶** 막대 **❷** 많습니다

1-2 서진이네 반 학생들이 좋아하는 책의 종류별 학생 수를 조사하여 나타낸 막대그래프 입니다. 가장 적은 학생들이 좋아하는 책의 종류는 무엇입니까?

좋아하는 책의 종류별 학생 수

(   )

2-1 수영이네 학교에 심어진 나무를 조사하여 나타낸 표입니다. 표를 보고 막대그래프로 나타내시오.

종류별 나무 수

종류	소나무	목련나무	전나무	은행나무	합계
나무 수(그루)	6	5	9	10	30

종류별 나무 수

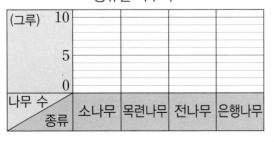

• **풀이** • 막대그래프의 세로 눈금 5칸이 **❶**[   ]그루를 나타내므로 세로 눈금 한 칸은 **❷**[   ]그루를 나타냅니다.

답 **❶** 5 **❷** 1

2-2 지민이네 반 학생들이 좋아하는 과일을 조사하여 나타낸 표입니다. 표를 보고 막대그 래프로 나타내시오.

좋아하는 과일별 학생 수

과일	사과	딸기	수박	바나나	합계
학생 수(명)	10	9	5	6	30

좋아하는 과일별 학생 수

개념 3 수 배열에서 규칙 찾기

[관련 단원] 규칙 찾기

◉ 수 배열표에서 규칙 찾기

141	151	161	171
241	251	261	271
341	351	361	371
441	451	461	471

- 가로(→): 141부터 오른쪽으로 10씩 커집니다.
- 세로(↓): 141부터 아래쪽으로 100씩 커집니다.

• 왼쪽 수 배열표의 색칠된 칸에서 규칙을 찾아보면 141부터 시작하여 ＼ 방향으로 ❶[　　　]씩 ❷[　　　].

 다양한 규칙을 찾을 수 있어요.

답 ❶ 110 ❷ 커집니다

개념 4 도형의 배열에서 규칙 찾기

[관련 단원] 규칙 찾기

첫째　　둘째　　셋째　　넷째

첫째: 1개
둘째: 1+2＝3(개)
셋째: 3+2＝5(개)
넷째: 5+2＝7(개)

규칙
모형이 1개에서 시작하여 오른쪽과 위쪽으로 각각 1개씩 늘어납니다.

• 왼쪽 도형의 배열에서 다섯째에 놓일 모형은 넷째에 놓인 모형보다 2개 더 많은 7+❶[　　]＝❷[　　](개) 입니다.

답 ❶ 2 ❷ 9

개념 5 계산식에서 규칙 찾기

[관련 단원] 규칙 찾기

◉ 덧셈식에서 규칙 찾기

120 ＋ 210 ＝ 330
120 ＋ 220 ＝ 340
120 ＋ 230 ＝ 350
120 ＋ 240 ＝ 360

120에 10씩 커지는 수를 더하면 계산 결과가 10씩 커집니다.

◉ 곱셈식에서 규칙 찾기

10 × 130 ＝ 1300
20 × 130 ＝ 2600
30 × 130 ＝ 3900
40 × 130 ＝ 5200

10씩 커지는 수에 130을 곱하면 계산 결과가 1300씩 커집니다.

• 뺄셈식에서 규칙 찾기

550−110＝440
650−210＝440
750−310＝440
850−410＝❶[　　　]

같은 자리의 숫자가 똑같이 커지는 두 수의 ❷[　　]는 항상 같습니다.

답 ❶ 440 ❷ 차

▶정답 및 풀이 17쪽

3-1 수 배열표를 보고 규칙을 찾아 알맞은 수에 ○표 하시오.

101	201	301	401
111	211	311	411
121	221	321	421

가로(→)는 101부터 시작하여 오른쪽으로 (10 , 100)씩 커집니다.

• **풀이** • 가로는 101부터 시작하여 101, 201, 301, [❶]로 백의 자리

수가 [❷]씩 커집니다.   답 ❶ 401 ❷ 1

3-2 수 배열표를 보고 규칙을 찾아 알맞은 수에 ○표 하시오.

220	240	260	280
320	340	360	380
420	440	460	480

세로(↓)는 220부터 시작하여 아래쪽으로 (100 , 200)씩 커집니다.

4-1 도형의 배열에서 규칙을 찾아 쓰시오.

첫째   둘째   셋째   넷째

모형의 개수는 1개에서 시작하여 위쪽으로 [ ]개씩 늘어나는 규칙입니다.

• **풀이** • 첫째: 1개, 둘째: [❶]개, 셋째: 3개, 넷째: [❷]개입니다.

답 ❶ 2 ❷ 4

4-2 도형의 배열에서 규칙을 찾아 쓰시오.

첫째   둘째   셋째   넷째

  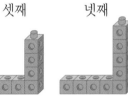

모형의 개수는 3개에서 시작하여 왼쪽과 위쪽으로 각각 [ ]개씩 늘어나는 규칙입니다.

5-1 계산식을 보고 규칙을 찾아 쓰시오.

200＋120＝320
210＋130＝340
220＋140＝360
230＋150＝380

십의 자리 숫자가 각각 1씩 커지는 두 수의 합은 [ ]씩 커집니다.

• **풀이** • 계산 결과의 [❶]의 자리 숫자가 [❷]씩 커집니다.

답 ❶ 십 ❷ 2

5-2 계산식을 보고 규칙을 찾아 쓰시오.

660÷10＝66
550÷10＝55
440÷10＝44
330÷10＝33

110씩 작아지는 수를 10으로 나누면 몫은 [ ]씩 작아집니다.

예제 1 막대그래프 알아보기

가 보고 싶어 하는 장소별 학생 수

장소	공원	식물원	박물관	합계
학생 수(명)	8	5	7	20

↓

가 보고 싶어 하는 장소별 학생 수

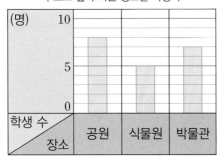

표와 막대그래프 중 전체 합계를 알아보기 편리한 것은 ❶ 이고, 많고 적음을 한눈에 비교하기 편리한 것은 ❷ 입니다.

[답] ❶ 표 ❷ 막대그래프

1 생선 가게에서 오늘 팔린 생선 수를 조사하여 나타낸 표와 막대그래프입니다. 표와 막대그래프 중 가장 많이 팔린 생선을 한눈에 알아보기 쉬운 것은 어느 것입니까?

팔린 생선 수

생선	갈치	고등어	조기	삼치	합계
생선 수(마리)	8	7	5	6	26

팔린 생선 수

(   )

예제 2 막대그래프로 나타내기

좋아하는 음료별 학생 수

음료	탄산음료	주스	우유	합계
학생 수(명)	9	7	6	22

⇨ 세로 눈금 1칸이 1명을 나타내는 막대그래프로 나타내려면 세로 눈금은 적어도 9칸까지 있어야 합니다.

표를 막대그래프로 나타내려고 할 때 세로 눈금 1칸이 1명을 나타낸다면 주스를 좋아하는 학생은 막대 ❶ 칸으로, 우유를 좋아하는 학생은 막대 ❷ 칸으로 나타냅니다.

[답] ❶ 7 ❷ 6

2 영은이네 반 학생들이 좋아하는 간식을 조사하여 나타낸 표입니다. 막대그래프로 나타낼 때 세로 눈금한 칸이 1명을 나타낸다면 라면을 좋아하는 학생은 막대 몇 칸으로 나타내야 합니까?

좋아하는 간식별 학생 수

간식	치킨	라면	떡볶이	피자	합계
학생 수(명)	5	9	4	7	25

(   )

예제 3 수 배열표에서 규칙 찾기

110	120	130	140
111	121	131	141
112	122	132	142
113	123	133	143

- 가로(→) 방향 규칙: 10씩 커집니다.
- 세로(↓) 방향 규칙: 1씩 커집니다.

색칠된 칸은 ❶ [   ]부터 시작하여 ╱ 방향
으로 ❷ [   ]씩 작아지는 규칙입니다.

[답] ❶ 140 ❷ 9

3 색칠된 칸에서 규칙을 찾았습니다. ☐ 안에 알맞은
수를 써넣으시오.

2015	2115	2215	2315
3015	3115	3215	3315
4015	4115	4215	4315
5015	5115	5215	5315

2315부터 시작하여 ╱ 방향으로 [   ]씩
커지는 규칙입니다.

예제 4 도형의 배열에서 규칙 찾기

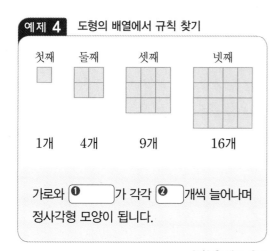

| 첫째 | 둘째 | 셋째 | 넷째 |
| 1개 | 4개 | 9개 | 16개 |

가로와 ❶ [   ]가 각각 ❷ [   ]개씩 늘어나며
정사각형 모양이 됩니다.

[답] ❶ 세로 ❷ 1

4 왼쪽 도형의 배열을 보고 다섯째에 알맞은 모양을
그리시오.

다섯째

예제 5 규칙적인 계산식 찾기

| 1 | 2 | 3 | 4 | 5 |
| 7 | 8 | 9 | 10 | 11 |

1+8=2+7, 2+9=3+8,
3+10=4+9, 4+11=5+10

╲ 방향의 두 수의 ❶ [   ]과 ╱ 방향의 두 수
의 ❷ [   ]이 서로 같습니다.

[답] ❶ 합 ❷ 합

5 수 배열표를 보고 ☐ 안에 알맞은 수를 써넣으시오.

| 14 | 16 | 18 | 20 | 22 |
| 26 | 28 | 30 | 32 | 34 |

14+28=16+26

16+30=18+28

18+32=20+[   ]

20+34=22+[   ]

3
주

전략 1 막대그래프의 내용 알아보기 　　　　　[관련 단원] 막대그래프

예 학생 수가 가장 많은 마을의 학생 수 구하기

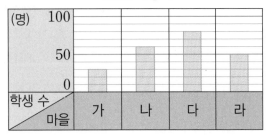

마을별 학생 수

(1) 막대그래프에서 막대의 길이는 마을별 학생 수를 나타내므로 막대의 길이가 길수록 학생 ❶ ☐ 가 많습니다.

(2) 학생 수가 가장 많은 마을은 막대의 길이가 가장 긴 ❷ ☐ 마을로 ❸ ☐ 명입니다.

답 ❶ 수 ❷ 다 ❸ 80

필수 예제 01

위 전략 1의 막대그래프에서 학생 수가 가장 적은 마을의 학생 수를 구하시오.

(1) 학생 수가 가장 적은 마을은 어느 마을인지 구하시오. 　　(　　　　　　)

(2) 학생 수가 가장 적은 마을의 학생 수를 구하시오. 　　(　　　　　　)

풀이 | (1) 막대그래프에서 막대의 길이가 가장 짧은 가 마을의 학생 수가 가장 적습니다.

　　　(2) 가 마을의 학생 수는 30명입니다.

확인 1-1

지은이네 반 학생들이 좋아하는 색깔을 조사하여 나타낸 막대그래프입니다. 가장 많은 학생들이 좋아하는 색깔의 학생 수를 구하시오.

좋아하는 색깔별 학생 수

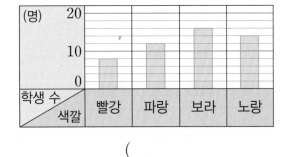

(　　　　　　)

확인 1-2

마을별 포도 생산량을 조사하여 나타낸 막대그래프입니다. 포도 생산량이 가장 적은 마을의 포도 생산량을 구하시오.

포도 생산량

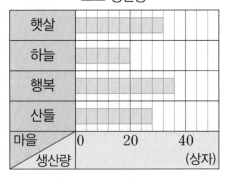

(　　　　　　)

▶정답 및 풀이 18쪽

전략 2 막대그래프로 나타내기

[관련 단원] 막대그래프

예 자료를 막대그래프로 나타내기

선주네 마을 사람들이 관심 있어 하는 환경 문제를 조사하였더니 대기 오염이 14명, 수질 오염이 10명, 쓰레기 배출이 16명, 소음이 8명이었습니다.

(1) 자료를 표로 나타내기

관심 있어 하는 환경 문제

환경 문제	대기 오염	수질 오염	쓰레기 배출	소음	합계
사람 수(명)	❶	❷	❸	❹	❺

(2) 막대그래프로 나타내기

관심 있어 하는 환경 문제

답 ❶ 14 ❷ 10 ❸ 16 ❹ 8 ❺ 48 ❻ 10

필수 예제 02

위 전략 2의 자료를 보고 세로 눈금 한 칸의 크기가 1명을 나타내는 막대그래프로 나타낸다면 수질 오염은 몇 칸으로 나타내야 합니까?

(   )

풀이 | 수질 오염은 10명이므로 세로 눈금 한 칸의 크기가 1명일 때 수질 오염은 10칸으로 나타내야 합니다.

확인 2-1

은이와 친구들이 좋아하는 한국 음식을 조사한 것입니다. 조사한 자료를 보고 표로 나타내시오.

갈비탕은 15명, 불고기는 21명, 잡채는 12명, 비빔밥은 9명이 좋아합니다.

좋아하는 한국 음식별 학생 수

음식	갈비탕	불고기	잡채	비빔밥	합계
학생 수(명)					

확인 2-2

2-1의 표를 보고 막대그래프로 나타내시오.

좋아하는 한국 음식별 학생 수

3
주

전략 3 수 배열표에서 규칙 찾기　　　　　　　　　　[관련 단원] 규칙 찾기

예 덧셈을 이용한 수 배열표를 보고 ■에 알맞은 수 구하기

	101	102	103	104
10	1	2	3	4
11	2	3	■	5
12	3	4	5	6
13	4	5	6	7

(1) 가로와 세로의 두 수의 덧셈의 결과에서 ❶ [　]의 자리 숫자를 쓰는 규칙입니다.

(2) ■에 알맞은 수는 103과 ❷ [　]의 덧셈의 결과의 ❸ [　]의 자리 숫자이므로 ❹ [　]입니다.

답 ❶ 일 ❷ 11 ❸ 일 ❹ 4

필수 예제 03

위 전략 3의 수 배열표에서 발견할 수 있는 다른 규칙을 찾아 쓰시오.

여러 가지 규칙을 찾을 수 있어요.

규칙 1 1부터 시작하는 가로(→)는 [　]씩 커집니다.

규칙 2 ╱ 방향에는 모두 (같은 수 , 다른 수)가 있습니다.

풀이 | 규칙 1 1부터 가로(→)에 있는 수를 차례로 쓰면 1, 2, 3, 4이므로 1씩 커집니다.
　　　규칙 2 ╱ 방향에는 모두 같은 수가 있습니다.

확인 3-1

뺄셈을 이용한 수 배열표를 보고 규칙을 찾고, 빈 칸에 알맞은 수를 써넣으시오.

	234	235	236	237
21	3	4	5	6
22	2	3	4	5
23	1		3	4
24	0	1	2	3

규칙 두 수의 뺄셈의 결과에서 (일의 자리 , 십의 자리) 숫자를 쓰는 규칙입니다.

확인 3-2

곱셈을 이용한 수 배열표를 보고 규칙을 찾고, 빈 칸에 알맞은 수를 써넣으시오.

	506	507	508	509
16	6	2	8	4
17	2	9	6	3
18	8	6		2
19	4	3	2	1

규칙 두 수의 곱셈의 결과에서 (일의 자리 , 십의 자리) 숫자를 쓰는 규칙입니다.

▶정답 및 풀이 18쪽

전략 4 도형의 배열을 보고 규칙 찾기

[관련 단원] 규칙 찾기

예 도형의 배열에서 다섯째에 올 모형의 개수 구하기

첫째 둘째 셋째 넷째

(1) 모형의 개수가 2개에서 시작하여 위쪽으로 ❶ □ 개씩 늘어나는 규칙입니다.

(2) 첫째: 2개, 둘째: 3개, 셋째: ❷ □ 개, 넷째: 5개

이므로 다섯째에 올 모형의 개수는 ❸ □ 개입니다.

답 ❶ 1 ❷ 4 ❸ 6

필수 예제 04

도형의 배열에서 규칙을 찾아 쓰고 다섯째에 알맞은 모양을 그리시오.

(단, 모양을 그릴 때, 모형 🔲을 □와 같이 간단히 나타냅니다.)

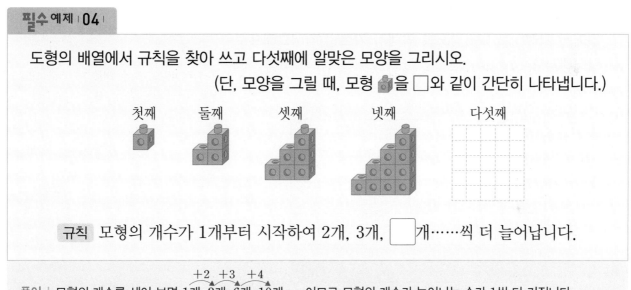

첫째 둘째 셋째 넷째 다섯째

규칙 모형의 개수가 1개부터 시작하여 2개, 3개, □ 개……씩 더 늘어납니다.

풀이ㅣ 모형의 개수를 세어 보면 1개, 3개, 6개, 10개……이므로 모형의 개수가 늘어나는 수가 1씩 더 커집니다. (+2 +3 +4)
따라서 다섯째에 알맞은 모양은 모형의 개수가 10+5=15(개)입니다.

확인 4-1

도형의 배열에서 다섯째에 알맞은 도형의 주황색 사각형은 몇 개인지 구하시오.

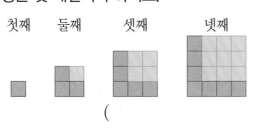

첫째 둘째 셋째 넷째

(   )

확인 4-2

4-1의 도형의 배열에서 다섯째에 알맞은 도형을 그리시오.

다섯째

색깔도 나타내요.

[관련 단원] 막대그래프

1 사과 수확량이 가 마을의 2배인 마을은 어느 마을입니까?

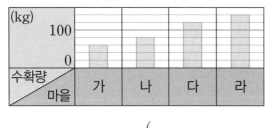

마을별 사과 수확량

(   )

[관련 단원] 막대그래프

2 위 **1**의 막대그래프를 보고 사과 수확량이 적은 마을부터 위에서 차례대로 나타나도록 막대가 가로인 막대그래프로 나타내시오.

마을 \ 수확량	0	100	(kg)

가로 눈금 한 칸은 20 kg을 나타냅니다.

[관련 단원] 막대그래프

3 미국에 가 보고 싶은 학생이 15명이라면 **❷**세로 눈금 한 칸은 몇 명을 나타내는지 구하시오.

가 보고 싶은 나라별 학생 수

(   )

▶정답 및 풀이 19쪽

[관련 단원] 규칙 찾기

4 수 배열의 규칙에 맞게 빈칸에 알맞은 수를 써넣으시오.

2301	2311	2321	2331	2341
2401	2411	❶	2431	2441
2501	2511	2521	2531	❷
2601	❸	2621	2631	2641

[관련 단원] 규칙 찾기

5 수 배열의 규칙을 찾아 쓰고 빈칸에 알맞은 수를 써넣으시오.

128 — 64 — 32 — 16 — [ ]

규칙 128부터 시작하여 [ ]로 나눈 몫이 오른쪽에 있습니다.

3
주

[관련 단원] 규칙 찾기

6 도형의 배열을 보고 규칙을 찾아 쓰고 다섯째에 알맞은 도형을 그리시오.

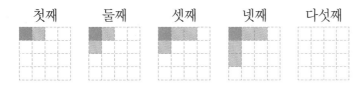

첫째　둘째　셋째　넷째　다섯째

규칙 분홍색 도형을 기준으로 연두색 도형이 오른쪽으로 [ ]개, 아래쪽으로 [ ]개씩 번갈아 가면서 늘어납니다.

전략 1 막대그래프를 보고 합계 구하기 [관련 단원] 막대그래프

예 조사한 학생은 모두 몇 명인지 구하기

가고 싶어 하는 산별 학생 수

(1) 세로 눈금 5칸이 10명을 나타내므로 세로 눈금

한 칸은 [❶] 명을 나타냅니다.

(2) 조사한 학생은 모두

14＋10＋[❷]＋8＝[❸](명)입니다.

답 ❶ 2 ❷ 12 ❸ 44

필수 예제 01

막대그래프를 보고 장난감 판매량의 합계를 구하시오.

가게별 장난감 판매량

가게＼판매량	0	100	200 (개)
가			
나			
다			

(1) 가게별 장난감 판매량을 구하시오.

가 ( )

나 ( )

다 ( )

(2) 세 가게의 장난감 판매량의 합계를 구하시오.

( )

풀이 | (1) 가로 눈금 한 칸은 20개를 나타내므로 가: 240개, 나: 180개, 다: 120개입니다.

(2) (합계)＝240＋180＋120＝540(개)

확인 1-1

막대그래프를 보고 안경을 낀 학생 수의 합계를 구하시오.

반별 안경을 낀 학생 수

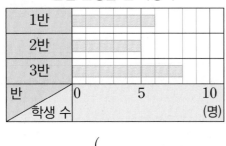

( )

확인 1-2

막대그래프를 보고 조사한 학생 수를 구하시오.

방과 후 수업별 학생 수

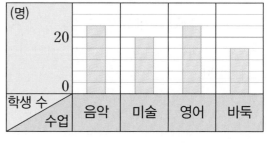

( )

전략 2 막대그래프 완성하기

[관련 단원] 막대그래프

예 배출된 종이류가 비닐류보다 12 kg 더 많을 때 종이류의 세로 눈금 칸 수 구하기

일주일 동안 배출된 쓰레기의 양

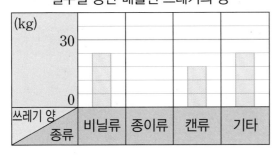

(1) 세로 눈금 5칸이 30 kg을 나타내므로 세로 눈금 한 칸은 ❶[　　] kg을 나타냅니다.

따라서 비닐류는 ❷[　　] kg입니다.

(2) 배출된 종이류는 24＋12＝❸[　　] kg이므로 세로 눈금 ❹[　　] 칸으로 나타냅니다.

답 ❶ 6 ❷ 24 ❸ 36 ❹ 6

필수 예제 02

1학기 동안 진아는 은우보다 책을 5권 더 많이 읽었습니다. 막대그래프를 완성하시오.

1학기 동안 읽은 책 수

(1) 은우가 읽은 책은 몇 권인지 구하시오.

(　　　　　　　　　　　　　)

(2) 막대그래프를 완성하시오.

풀이 ｜ (1) 세로 눈금 한 칸은 5권을 나타내므로 은우는 20권을 읽었습니다.
(2) 진아가 읽은 책은 20＋5＝25(권)이므로 세로 눈금 5칸으로 나타냅니다.

확인 2-1

박물관의 입장객 수가 금요일은 화요일보다 60명 더 많았을 때 막대그래프를 완성하시오.

요일별 입장객 수

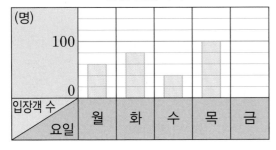

확인 2-2

취미가 운동인 학생은 취미가 독서인 학생보다 8명 더 적을 때 막대그래프를 완성하시오.

취미별 학생 수

전략 3   계산식의 규칙 찾기   [관련 단원] 규칙 찾기

📖 계산식의 배열에서 규칙을 찾고, 빈칸에 알맞은 식 쓰기

$$315+126=441$$
$$316+127=443$$
$$317+128=445$$
❸

(1) 일의 자리 수가 각각 ❶ [ ] 씩 커지는 두 수의 합은 ❷ [ ] 씩 커지는 규칙입니다.

(2) 빈칸에 알맞은 식 써넣기

더해지는 수, 더하는 수, 합이 각각 어떻게 변하는지 알아봐요.

답 ❶ 1 ❷ 2 ❸ $318+129=447$

필수 예제 03

계산식의 배열에서 규칙을 찾고, 빈칸에 알맞은 식을 써넣으시오.

$$870-140=730$$
$$770-130=640$$
$$670-120=550$$
[ ]

(1) 빼지는 수는 백의 자리 수가 [ ] 씩 작아지고, 빼는 수는 십의 자리 수가 [ ] 씩 작아지는 규칙입니다.

(2) 빈칸에 알맞은 식을 써넣으시오.

풀이 | (1) 빼지는 수는 100씩 작아지고, 빼는 수는 10씩 작아지므로 계산 결과는 90씩 작아집니다.

확인 3-1

계산식의 배열에서 규칙을 찾아 알맞은 말에 ○표 하고, 빈칸에 알맞은 식을 써넣으시오.

$$636-214=422$$
$$637-215=422$$
$$638-216=422$$
[ ]

같은 자리의 수가 똑같이 (작아지는 , 커지는) 두 수의 차는 항상 (일정합니다 , 커집니다).

확인 3-2

계산식의 배열에서 규칙을 찾아 ☐ 안에 알맞은 수를 써넣고, 빈칸에 알맞은 식을 써넣으시오.

$$231+131=362$$
$$331+231=562$$
$$431+331=762$$
[ ]

백의 자리 수가 각각 [ ] 씩 커지는 두 수의 합은 [ ] 씩 커집니다.

▶정답 및 풀이 20쪽

전략 4 규칙적인 계산식 찾기

[관련 단원] 규칙 찾기

예 달력에서 규칙적인 계산식 찾기

6월

일	월	화	수	목	금	토
			1	2	3	4
5	6	7	8	9	10	11
12	13	14	15	16	17	18
19	20	21	22	23	24	25
26	27	28	29	30		

(1) ☐ 안에 있는 수의 세로 배열에서 규칙 찾기

아래의 수에서 ❶☐을 빼면 바로 위의 수가 되는 규칙입니다.

(2) 규칙적인 계산식 찾기

$$12-7=5, \ 13-7=6,$$
$$14-7=❷\boxed{}, \ 15-❸\boxed{}=8$$

답 ❶ 7 ❷ 7 ❸ 7

필수예제 04

위 **전략 4**의 달력에서 발견할 수 있는 다른 규칙적인 계산식을 찾아 쓰시오.

(1) 알맞은 말에 ○표 하시오.

규칙 ＼ 방향의 두 수의 합과 ／ 방향의 두 수의 (합 , 차)은/는 서로 같습니다.

(2) 규칙적인 계산식을 찾아 ☐ 안에 알맞은 수를 써넣으시오.

$$5+13=6+12, \ 6+14=7+13, \ 7+\boxed{}=8+14, \ \boxed{}+16=9+15$$

풀이 | (1) ＼ 방향의 두 수의 합과 ／ 방향의 두 수의 합은 서로 같습니다.

확인 4-1

수의 배열에서 규칙적인 계산식을 찾아 쓰시오.

210	211	212	213	214	215	216	217
310	311	312	313	314	315	316	317

$$210+211+212=211\times 3$$
$$211+212+213=212\times\boxed{}$$
$$310+311+312=311\times 3$$
$$311+312+313=312\times\boxed{}$$

확인 4-2

4-1에서 찾은 규칙과 다른 규칙적인 계산식을 찾아 쓴 것입니다. ☐ 안에 알맞은 수를 써넣으시오.

$$210+311=211+310$$
$$211+312=212+\boxed{}$$
$$212+\boxed{}=213+312$$
$$213+314=214+\boxed{}$$

[관련 단원] 막대그래프

1 어느 김밥 가게에서 지난달에 팔린 종류별 김밥 수를 조사하여 나타낸 막대그래프입니다. 막대그래프를 보고 ☐ 안에 알맞은 수를 써넣으시오.

지난달에 팔린 종류별 김밥 수

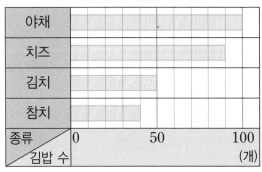

팔린 야채 김밥의 수는 김치 김밥의 수의 ☐배입니다.

[관련 단원] 막대그래프

2 위 **1**의 막대그래프를 보고 이번 달에 어떤 김밥을 가장 많이 준비하는 것이 좋을지 쓰시오.

(   )

[관련 단원] 막대그래프

3 수민이의 요일별 줄넘기 기록을 조사하여 나타낸 막대그래프입니다. 수민이는 ❶4일 동안 줄넘기를 1200회 했습니다. ❷막대그래프를 완성하시오.

요일별 줄넘기 기록

[관련 단원] 규칙 찾기

4 규칙적인 계산식을 보고 다섯째 빈칸에 알맞은 계산식을 쓰시오.

순서	계산식
첫째	$10+40-20=30$
둘째	$10+50-30=30$
셋째	$10+60-40=30$
넷째	$10+70-50=30$
다섯째	

Tip

• ㉠+㉡-㉢=30 형태의 계산식에서 ㉠은 10으로 일정하고, ㉡과 ㉢은 각각 **❶**　씩 커집니다.

• 다섯째 계산식의 계산 결과는 넷째 계산식의 계산 결과와 **❷**　.

답 **❶** 10 **❷** 같습니다

[관련 단원] 규칙 찾기

5 **❶** 보기 의 규칙을 이용하여 **❷** 나누는 수가 4일 때의 계산식을 1개 더 쓰시오.

보기
$$5 \div 5 = 1$$
$$25 \div 5 \div 5 = 1$$
$$125 \div 5 \div 5 \div 5 = 1$$

$$4 \div 4 = 1$$
$$16 \div 4 \div 4 = 1$$

Tip

❶ 보기 의 규칙은 나누는 수가 1개씩 더 늘어나고 계산 결과가 **❶**　이 되는 계산식입니다.

❷ 주어진 계산식은 나누는 수 4가 1개씩 더 늘어나고 계산 결과가 **❷**　이 되는 계산식입니다.

답 **❶** 1 **❷** 1

[관련 단원] 규칙 찾기

6 승강기 버튼의 수 배열에서 규칙적인 계산식을 찾아 쓰시오.

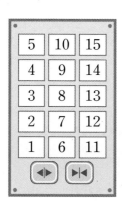

규칙 세로(↑)의 수의 배열에서 연결된 세 수의 합은 가운데 있는 수의 3배입니다.

$$1+2+3=2\times3$$
$$6+7+8=7\times\boxed{}$$
$$11+12+13=\boxed{}\times\boxed{}$$

Tip

• 세로로 연결된 세 수의 **❶**　은 가운데 있는 수의 **❷**　배인 규칙을 이용하여 계산식을 완성합니다.

답 **❶** 합 **❷** 3

주어진 규칙을 이용하여 규칙적인 계산식을 만들 수 있어요.

대표 예제 | 01

지나네 반 학생들이 좋아하는 동물을 조사하여 나타낸 표입니다. 펭귄을 좋아하는 학생은 몇 명입니까?

좋아하는 동물별 학생 수

동물	곰	토끼	펭귄	돌고래	합계
학생 수(명)	5	7		8	30

(   )

개념가이드

합계가 ❶ [   ] 명이므로 합계에서 각 항목별 학생 수를 빼어서 ❷ [   ] 을 좋아하는 학생 수를 구합니다.

[답] ❶ 30 ❷ 펭귄

대표 예제 | 02

위 01의 표를 보고 막대그래프로 나타내시오.

좋아하는 동물별 학생 수

개념가이드

세로 눈금 5칸은 ❶ [   ] 명을 나타내므로 세로 눈금 한 칸은 ❷ [   ] 명을 나타냅니다.

[답] ❶ 5 ❷ 1

대표 예제 | 03

민주네 모둠이 모은 붙임 딱지는 모두 몇 장입니까?

민주네 모둠이 모은 붙임 딱지 수

(   )

개념가이드

가로 눈금 한 칸은 ❶ [   ] 장을 나타내므로 모둠원별 모은 붙임 딱지 수를 각각 구하여 ❷ [   ] .

[답] ❶ 2 ❷ 더합니다

대표 예제 | 04

위 03의 막대그래프에서 붙임 딱지를 가장 많이 모은 사람과 가장 적게 모은 사람의 붙임 딱지 수의 차는 몇 장입니까?

(   )

개념가이드

막대의 길이는 모은 붙임 딱지 수를 나타냅니다.
붙임 딱지를 가장 많이 모은 사람은 ❶ [   ] 이고, 가장 적게 모은 사람은 ❷ [   ] 입니다.

[답] ❶ 민주 ❷ 서은

항상 널 응원해!

대표 예제 05

표와 막대그래프를 완성하시오.

혈액형별 학생 수

혈액형	A형	B형	AB형	O형	합계
학생 수(명)		4	5		20

혈액형별 학생 수

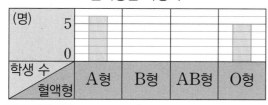

개념가이드

세로 눈금 한 칸은 ❶◻명을 나타냅니다. ❷◻와 막대 그래프에서 알 수 있는 수로 빈 곳을 완성합니다.

[답] ❶ 1 ❷ 표

대표 예제 06

위 **05**의 막대그래프에 대한 설명으로 옳지 <u>않은</u> 것을 찾아 기호를 쓰시오.

> ㉠ 가장 많은 학생들의 혈액형은 A형 입니다.
> ㉡ B형인 학생은 4명입니다.
> ㉢ 학생 수가 AB형보다 더 많은 혈 액형은 A형과 B형입니다.

(   )

개념가이드

막대의 길이는 혈액형별 ❶◻를 나타내므로 막대의 길이가 길수록 학생 수가 ❷◻.

[답] ❶ 학생 수 ❷ 많습니다

대표 예제 07

수가 많은 꽃부터 차례대로 쓰시오.

종류별 꽃 수

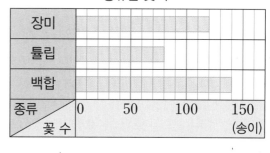

(   )

개념가이드

막대의 길이는 종류별 ❶◻를 나타내므로 막대의 길이가 길수록 꽃 수가 ❷◻.

[답] ❶ 꽃 수 ❷ 많습니다

대표 예제 08

위 **07**의 막대그래프를 보고 알 수 있는 사실을 2가지 쓰시오.

① _____

② _____

개념가이드

막대그래프의 가로 눈금 5칸이 ❶◻송이를 나타내므로 가로 눈금 한 칸은 ❷◻송이를 나타냅니다.

[답] ❶ 50 ❷ 10

대표 예제 | 09 |

좌석표에서 규칙을 찾아보시오.

A1	A2	A3	A4	A5	A6
B1	B2	B3	B4	B5	B6
C1	C2	C3	C4	C5	C6
D1	D2	D3	D4	D5	D6

규칙 세로(↓)로 보면 알파벳은
(그대로이고 , 바뀌고)
숫자는 (그대로입니다 , 바뀝니다).

개념가이드

알파벳과 **❶** 로 나누어 변하는 것과 변하지
❷ 것을 구별합니다.

[답] ❶ 숫자 ❷ 않는

대표 예제 | 10 |

수의 배열에서 규칙을 찾고, 빈 곳에 알맞은 수를 써넣으시오.

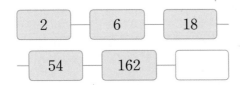

규칙 2부터 시작하여 ☐ 씩 곱한 수가
오른쪽에 있습니다.

개념가이드

$2 \times 3 = 6$, $6 \times 3 = 18$, $18 \times 3 =$ **❶** ,
$54 \times 3 =$ **❷** 의 규칙이 있습니다.

[답] ❶ 54 ❷ 162

대표 예제 | 11 |

도형의 배열을 보고 규칙을 찾아보시오.

첫째   둘째   셋째   넷째

규칙 사각형의 수가 ☐ 개씩 늘어나고
가로, 세로 모양이 번갈아 가며 나오는
규칙입니다.

개념가이드

사각형의 수는 2개, 3개, **❶** 개, **❷** 개……이고
도형의 방향은 가로, 세로 모양이 번갈아 가며 나옵니다.

[답] ❶ 4 ❷ 5

대표 예제 | 12 |

위 11에서 도형의 배열을 보고 다섯째에
알맞은 도형을 그리시오.

다섯째

개념가이드

다섯째 모양은 넷째 모양보다 사각형 수가 **❶** 개 더
많고 방향은 **❷** 입니다.

[답] ❶ 1 ❷ 가로

넌 최고야!

대표 예제 13

곱셈식의 규칙에 따라 ☐ 안에 알맞은 수를 써넣으시오.

순서	곱셈식
첫째	$10 \times 1 = 10$
둘째	$10 \times 11 = 110$
셋째	$10 \times 111 = 1110$
넷째	$10 \times 1111 = 11110$
다섯째	$10 \times \boxed{} = 111110$

개념가이드

곱해지는 수는 **❶**으로 일정하고 곱하는 수는 1이 **❷**개씩 늘어나고 있습니다.

[답] ❶ 10 ❷ 1

대표 예제 15

수 배열표를 보고 ☐ 안에 알맞은 수를 써넣으시오.

311	313	315	317	319
314	316	318	320	322

$$311 + 313 + 315 = 313 \times 3$$
$$313 + 315 + 317 = 315 \times \boxed{}$$
$$315 + 317 + \boxed{} = 317 \times 3$$

개념가이드

가로(→)로 나란히 있는 세 수의 **❶**은 세 수 중 가운데 수의 **❷**배와 같습니다.

[답] ❶ 합 ❷ 3

대표 예제 14

나눗셈식의 규칙에 따라 ☐ 안에 알맞은 수를 써넣으시오.

순서	나눗셈식
첫째	$81 \div 9 = 9$
둘째	$891 \div 9 = 99$
셋째	$8991 \div 9 = 999$
넷째	$89991 \div 9 = 9999$
다섯째	$\boxed{} \div 9 = 99999$

개념가이드

나누어지는 수는 가운데에 숫자 **❶**가 1개씩 늘어나고, 몫은 숫자 **❷**가 1개씩 늘어납니다.

[답] ❶ 9 ❷ 9

대표 예제 16

전화기 버튼의 수 배열에서 규칙적인 계산식을 찾아 ☐ 안에 알맞은 수를 써넣으시오.

$$4 - \boxed{} = 3$$
$$5 - 2 = \boxed{}$$
$$6 - \boxed{} = 3$$

개념가이드

위의 수는 아래의 수보다 각각 **❶**씩 **❷** 수입니다.

[답] ❶ 3 ❷ 작은

3
주

1 지효네 반 학생들이 주말에 주로 가는 장소를 조사하여 나타낸 표를 보고 막대그래프로 나타내려고 합니다. 가로에 학생 수를 나타낸다면 세로에는 무엇을 나타내야 합니까?

장소별 학생 수

장소	공원	도서관	놀이공원	박물관	합계
학생 수(명)	5	7	6	9	27

(   )

Tip

막대**❶**[   ]로 나타내려면 우선 가로와 **❷**[   ] 중 어느 쪽에 조사한 수를 나타낼 것인가를 정해야 합니다.

답 ❶ 그래프 ❷ 세로

2 위 **1**의 표를 보고 학생 수가 적은 장소부터 위에서 차례대로 나타나도록 막대가 가로인 막대그래프로 나타내시오.

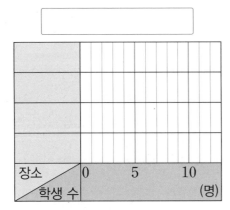

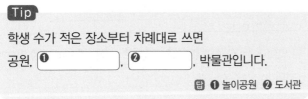

Tip

학생 수가 적은 장소부터 차례대로 쓰면 공원, **❶**[   ], **❷**[   ], 박물관입니다.

답 ❶ 놀이공원 ❷ 도서관

3 수진이네 학교 4학년의 반별 학생 수를 조사하여 나타낸 막대그래프입니다. 4반의 학생 수가 3반보다 3명 더 많다면 4반의 학생은 몇 명인지 구하시오.

반별 학생 수

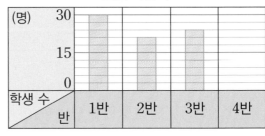

(   )

Tip

세로 눈금 한 칸은 **❶**[   ]명을 나타내므로 3반의 학생 수는 **❷**[   ]명입니다.

답 ❶ 3 ❷ 24

4 표를 보고 막대그래프로 나타내려고 합니다. 세로 눈금 한 칸이 4명을 나타내도록 그리려면 세로 눈금은 적어도 몇 칸 있어야 하는지 구하시오.

배우고 싶은 전통 악기별 학생 수

악기	장구	꽹과리	북	징	합계
학생 수(명)	20	16	12	24	72

(   )

Tip

조사한 수 중에서 가장 큰 수는 **❶**[   ]이므로 세로 눈금은 적어도 **❷**[   ]명까지 나타낼 수 있어야 합니다.

답 ❶ 24 ❷ 24

5 수 배열표의 일부가 찢어졌습니다. 수 배열의 규칙에 맞게 ■에 알맞은 수를 구하시오.

7	17	27	37	47
107	117	127	137	147
207	217	227	237	■
307	317			
407				

가로(→) 또는 세로(↓)에서 규칙을 찾아 ■에 알맞은 수를 구해 보세요.

(   )

Tip

수 배열표에서 가로(→)는 207부터 시작하여 오른쪽으로 ❶ 씩 ❷ 규칙입니다.

답 ❶ 10 ❷ 커지는

6 규칙을 찾아 다섯째에 알맞은 도형을 그리시오.

첫째 둘째 셋째 넷째 다섯째

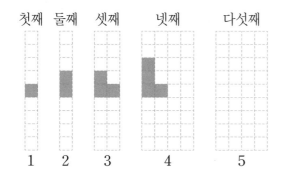

1   2   3   4   5

Tip

사각형의 개수가 1개부터 시작하여 위쪽과 ❶ 으로 ❷ 개씩 번갈아 가며 늘어나는 규칙입니다.

답 ❶ 오른쪽 ❷ 1

7 규칙적인 계산식을 보고 다섯째 빈칸에 알맞은 계산식을 써넣으시오.

순서	계산식
첫째	$1+1=2$
둘째	$12+21=33$
셋째	$123+321=444$
넷째	$1234+4321=5555$
다섯째	

Tip

더해지는 수는 1, 12, 123……과 같이 자리 수가 ❶ 개씩 늘어나면서 1만큼 더 큰 수가 오른쪽에 늘어납니다.
더하는 수는 1, 21, 321……과 같이 자리 수가 ❷ 개씩 늘어나면서 1만큼 더 큰 수가 왼쪽에 늘어납니다.

답 ❶ 1 ❷ 1

8 승강기 버튼의 수 배열을 보고 규칙적인 계산식을 찾아 쓰시오.

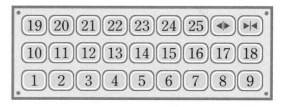

$$1+10+19=10\times 3$$

$$2+11+20=11\times \boxed{}$$

$$3+12+\boxed{}=12\times 3$$

$$4+13+22=\boxed{}\times 3$$

Tip

세로로 나란히 놓인 세 수의 ❶ 은 가운데 있는 수의 ❷ 배와 같습니다.

답 ❶ 합 ❷ 3

누구나 만점 전략

01 지은이네 반 학생들이 박물관에서 보고 싶은 전시관을 조사하여 나타낸 막대그래프입니다. 가장 많은 학생들이 보고 싶은 전시관은 어디인지 쓰시오.

보고 싶은 전시관별 학생 수

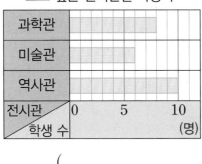

( )

02 은영이네 반 학생들이 태어난 계절을 조사하여 나타낸 표를 보고 세로 눈금 한 칸의 크기가 1명을 나타내는 막대그래프로 나타낸다면 봄은 몇 칸으로 나타내야 합니까?

태어난 계절별 학생 수

계절	봄	여름	가을	겨울	합계
학생 수(명)	5	7	8	4	24

( )

03 위 **02**의 표를 보고 막대그래프로 나타내시오.

태어난 계절별 학생 수

04 월별 비 온 날수를 조사하여 나타낸 막대그래프입니다. 비가 6월보다 적게 온 달은 몇 월입니까?

비 온 날수

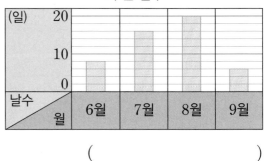

( )

05 지호네 반 학생들이 좋아하는 빵을 종류별로 조사하여 나타낸 표와 막대그래프입니다. 표와 막대그래프를 완성하시오.

좋아하는 빵 종류별 학생 수

종류	샌드위치	소시지빵	식빵	크림빵	합계
학생 수(명)	5		4		23

좋아하는 빵 종류별 학생 수

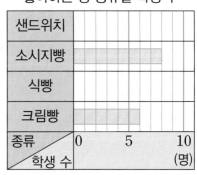

06 좌석표에서 규칙을 찾아 ■에 알맞은 좌석 번호를 쓰시오.

가1	가2	가3	가4	가5	가6
나1	나2	나3	나4	나5	나6
다1	다2	다3	■	다5	다6
라1	라2	라3	라4	라5	라6

( )

07 수 배열의 규칙에 맞게 ㉠에 알맞은 수를 구하시오.

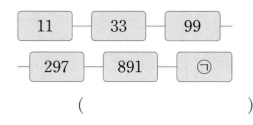

( )

08 보기 에서 설명하는 뺄셈식에 ○표 하시오.

보기

같은 자리의 수가 똑같이 커지는 두 수의 차는 항상 일정합니다.

$543-301=242$
$643-401=242$
$743-501=242$
$843-601=242$

$265-120=145$
$365-120=245$
$465-120=345$
$565-120=445$

( ) ( )

09 다음은 바둑돌을 규칙적으로 놓은 것입니다. 다섯째에 놓일 바둑돌은 몇 개인지 구하시오.

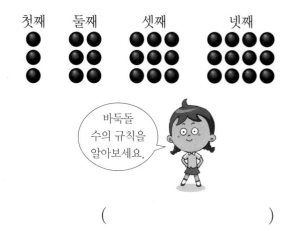

( )

10 규칙적인 계산식을 보고 다섯째 빈칸에 알맞은 계산식을 써넣으시오.

순서	계산식
첫째	$11×101=1111$
둘째	$22×101=2222$
셋째	$33×101=3333$
넷째	$44×101=4444$
다섯째	

창의 융합

1 위의 그래프는 몸무게가 50 kg인 사람이 10분 동안 운동했을 때 사용하는 열량을 나타낸 막대 그래프입니다. 사용하는 열량이 가장 높은 운동은 무엇입니까?

(   )

2 도서관 책장에 책이 번호 순서대로 꽂혀 있습니다. 위의 책장에서 빠진 책의 번호는 무엇인지 구하시오.

(   )

창의·융합·코딩 전략 ❷

창의 융합

1 제23회 평창 동계 올림픽에서 우리나라 선수들이 획득한 메달 수를 조사하여 나타낸 막대그래프 입니다. 막대그래프를 보고 표로 나타내시오.

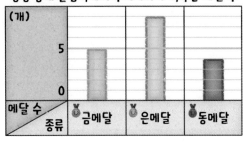

평창 동계 올림픽에서 우리나라가 획득한 메달 수

메달 종류	금메달	은메달	동메달	합계
메달 수(개)				

> **Tip**
>
> 세로 눈금 한 칸은 메달 ❶ 개를 나타냅니다.
> 표에서 합계는 금메달, 은메달, 동메달 수의 ❷ 입니다.

[답] ❶ 1 ❷ 합

문제 해결

2 도시별 초미세 먼지 나쁨 일수를 조사하여 나타낸 막대그래프입니다. 가 도시보다 초미세 먼지 나쁨 일수가 많은 도시를 모두 쓰시오.

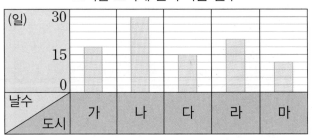

(   )

> **Tip**
>
> 세로 눈금 5칸이 15일을 나타내므로 세로 눈금 한 칸은 ❶ 일을 나타냅니다.
> 가 도시보다 초미세 먼지 나쁨 일수가 많은 곳은 가 도시보다 막대의 길이가 ❷ 도시를 찾으면 됩니다.

[답] ❶ 3 ❷ 긴

창의 **융합**

3 은아가 과녁 맞히기 놀이를 한 결과를 정리하여 나타낸 막대그래프입니다. 과녁을 가장 많이 맞힌 때와 가장 적게 맞힌 때의 차는 몇 회인지 구하시오.

과녁을 맞힌 횟수

(   )

Tip

세로 눈금 5칸이 5회를 나타내므로 세로 눈금 한 칸은 ❶ 회를 나타냅니다.

막대의 길이는 과녁을 맞힌 ❷ 를 나타내므로 막대의 길이가 길수록 과녁을 맞힌 횟수가 ❸ .

[답] ❶ 1 ❷ 횟수 ❸ 많습니다

추론

4 선생님께서 학생 4명에게 색종이를 각각 20장씩 나누어 주었습니다. 남은 색종이 수가 다음과 같을 때 색종이를 가장 많이 사용한 학생은 누구입니까?

남은 색종이 수

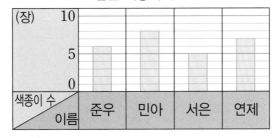

(   )

Tip

세로 눈금 한 칸은 색종이 ❶ 장을 나타냅니다.

남은 색종이 수를 나타내는 막대가 짧을수록 사용한 색종이 수가 ❷ .

[답] ❶ 1 ❷ 많습니다

3
주

추론
5 지하철역에 있는 보관함입니다. 빈 곳의 보관함 번호를 구하시오.

201	211	221	231	241	251	261
301	311	321	331		351	361
401	411	421	431	441	451	461

(   )

Tip

세로(↓) 방향으로 보관함 번호가 ❶ [   ]씩 ❷ [   ] 규칙입니다.

[답] ❶ 100 ❷ 커지는

창의 융합
6 규칙에 따라 빈칸에 알맞은 수를 써넣으시오.

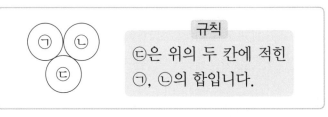

규칙

ⓒ은 위의 두 칸에 적힌
ⓐ, ⓑ의 합입니다.

빈칸 위의
두 칸에 적힌 수들을
확인해요.

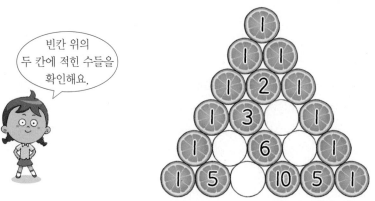

Tip

$1+1=2$, $1+2=3$, $1+3=$ ❶ [   ]로 위의 두 수를 더한 수를 ❷ [   ]에 쓰는 규칙입니다.

[답] ❶ 4 ❷ 아래

7 지영이는 가지고 있던 블록을 다음과 같이 쌓고 있습니다. 다섯째에 알맞은 모양을 그리시오.

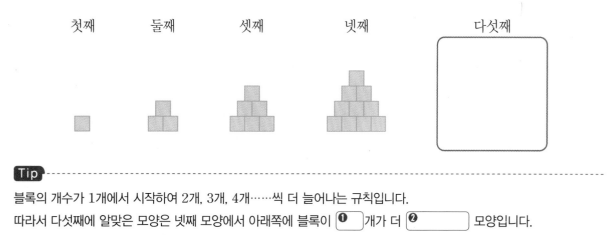

첫째 　 둘째 　 셋째 　 넷째 　 다섯째

Tip

블록의 개수가 1개에서 시작하여 2개, 3개, 4개······씩 더 늘어나는 규칙입니다.

따라서 다섯째에 알맞은 모양은 넷째 모양에서 아래쪽에 블록이 **❶** 개가 더 **❷** 모양입니다.

[답] ❶ 5 ❷ 늘어난

 8 덧셈식을 보고 규칙을 찾아 다섯째에 알맞은 덧셈식을 써넣으시오.

순서	덧셈식
첫째	$1+3=4$
둘째	$1+3+5=9$
셋째	$1+3+5+7=16$
넷째	$1+3+5+7+9=25$
다섯째	

더하는 수가 늘어나고 있어요.

Tip

1, 3, 5, 7, 9······와 같이 더하는 수가 **❶** 씩 커지는 수를 차례로 2개, 3개, 4개······씩 더합니다.

계산 결과는 $4=2\times2$, $9=3\times3$, $16=4\times4$, $25=5\times5$이므로 덧셈식의 더하는 수의 개수를 **❷** 번 곱한 것과 같습니다.

[답] ❶ 2 ❷ 2

$$
\begin{array}{r}
1\ 1\ 6 \\
\times\quad 3\ 1 \\
\hline
1\ 1\ 6 \\
3\ 4\ 8\ 0\ \ \\
\hline
3\ 5\ 9\ 6 \\
\end{array}
$$

신유형·신경향·서술형 전략

1 지은이와 수진이는 각자 바구니에 들어 있는 공에 쓰여진 수를 모두 한 번씩만 사용하여 가장 큰 수를 만들었습니다. 누가 더 큰 수를 만들었는지 구해 보세요.

지은

수진

❶ 지은이가 만든 가장 큰 수를 구하시오.

(   )

❷ 수진이가 만든 가장 큰 수를 구하시오.

(   )

❸ 더 큰 수를 만든 사람을 쓰시오.

(   )

Tip ---

가장 큰 수를 만들려면 ❶ [   ] 수부터 높은 자리에 차례로 놓습니다.
자리 수가 같은 수의 크기를 비교할 때는 가장 ❷ [   ] 자리의 숫자부터 차례로 비교합니다.

[답] ❶ 큰 ❷ 높은

▶정답 및 풀이 26쪽

[관련 단원] 각도

2 오후 1시에 서울역에서 출발한 기차가 3시간 후에 광주역에 도착했습니다. 기차가 서울역에서 출발한 시각과 광주역에 도착한 시각을 각각 시계에 그려 넣고, 시곗바늘이 이루는 작은 쪽의 각이 예각, 직각, 둔각 중 어느 것인지 쓰시오.

서울역에서 출발   광주역에 도착

① 서울역에서 출발했을 때의 시각을 위 시계에 알맞게 그려 넣으시오.

② 광주역에 도착했을 때의 시각을 위 시계에 알맞게 그려 넣으시오.

③ 서울역에서 출발한 시각과 광주역에 도착한 시각의 시곗바늘이 이루는 작은 쪽의 각도가 각각 예각, 직각, 둔각 중 어느 것인지 쓰시오.

서울역 (   ), 광주역 (   )

Tip

예각은 0°보다 크고 **①** [   ]°보다 작은 각이고, 둔각은 90°보다 크고 **②** [   ]°보다 작은 각입니다.

[답] **①** 90 **②** 180

[관련 단원] 곱셈과 나눗셈

3 양팔저울의 한쪽에 45 g짜리 물건 5개를 올려놓고 반대쪽에는 무게가 같은 추 9개를 올려놓 았더니 양팔저울이 어느 쪽으로도 기울지 않았습니다. 추 1개의 무게를 구하시오.

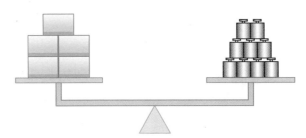

❶ 45 g짜리 물건 5개의 무게는 몇 g인지 구하시오.

(   )

❷ 추 9개의 무게는 몇 g인지 구하시오.

(   )

❸ 추 1개의 무게는 몇 g인지 구하시오.

(   )

Tip

45 g짜리 물건 5개의 무게는 $(45 \times \boxed{❶})$ g입니다.

45 g짜리 물건 5개의 무게와 추 9개의 무게는 $\boxed{❷}$.

[답] **❶** 5 **❷** 같습니다

▶정답 및 풀이 26쪽

[관련 단원] **평면도형의 이동**

4 도훈이와 예나는 수 카드를 들고 있습니다. 거울에 비친 모습을 보고 도훈이와 예나가 들고 있는 수 카드에 적힌 수의 합을 구하시오.

① 도훈이가 들고 있는 수 카드에 적힌 수는 얼마입니까?

(   )

② 예나가 들고 있는 수 카드에 적힌 수는 얼마입니까?

(   )

③ 도훈이와 예나가 들고 있는 수 카드에 적힌 수의 합을 구하시오.

(   )

Tip

수 카드를 거울에 비춘 모습은 수 카드를 ❶ [   ]쪽 또는 왼쪽으로 ❷ [   ] 모양과 같습니다.

[답] ❶ 오른 ❷ 뒤집은

[관련 단원] 막대그래프

5 정희네 가족이 이용하는 주말농장의 기르는 채소별 가구 수를 조사하여 나타낸 막대그래프입니다. 상추를 기르는 가구 수가 토마토를 기르는 가구 수보다 8가구 더 많을 때 가장 많은 가구가 기르는 채소를 구하시오.

기르는 채소별 가구 수

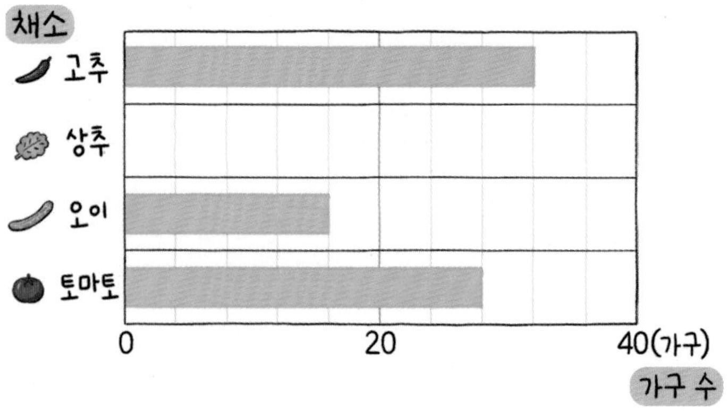

① 토마토를 기르는 가구는 몇 가구입니까?

(   )

② 상추를 기르는 가구는 몇 가구입니까?

(   )

③ 가장 많은 가구가 기르는 채소는 무엇입니까?

(   )

Tip

가로 눈금 5칸이 ❶[   ]가구를 나타내므로 가로 눈금 한 칸은 ❷[   ]가구를 나타냅니다.

[답] ❶ 20 ❷ 4

▶정답 및 풀이 26쪽

[관련 단원] 규칙 찾기

6 오른쪽은 어느 해 11월의 달력입니다. 달력의 ☐ 안에 있는 수의 배열에서 여러 가지 규칙적인 계산식을 찾아보시오.

달력에서
여러 가지 규칙을
찾을 수 있어요.

11월

일	월	화	수	목	금	토
			1	2	3	4
5	6	7	8	9	10	11
12	13	14	15	16	17	18
19	20	21	22	23	24	25
26	27	28	29	30		

❶ ↘ 방향의 두 수의 합과 ↗ 방향의 두 수의 합은 서로 같습니다.

$$6+14=7+13,\ 7+15=8+14,$$
$$8+16=9+\boxed{},\ 9+\boxed{}=10+16$$

❷ ↘ 방향으로 연결된 두 수의 차는 서로 같습니다.

$$22-14=14-6,\ 23-15=15-7,$$
$$24-16=16-\boxed{},\ 25-\boxed{}=17-\boxed{}$$

❸ ↘ 방향으로 연결된 세 수 중에서 처음 수와 마지막 수의 합은 가운데 수의 2배입니다.

$$6+22=14\times2,\ 7+23=15\times2,$$
$$8+24=16\times\boxed{},\ 9+\boxed{}=17\times2$$

Tip

달력의 수들은 → 방향으로 **❶**☐씩 커지고 ↓ 방향으로 **❷**☐씩 커집니다.

달력의 여러 방향의 수의 배열에서 **❸**☐적인 계산식을 찾습니다.

[답] **❶** 1 **❷** 7 **❸** 규칙

01 그림을 보고 ☐ 안에 알맞은 수를 써넣으시오.

10000은 1000이 ☐ 개인 수입니다.

02 보기 와 같이 나타내시오.

보기

$47163 = 40000 + 7000 + 100 + 60 + 3$

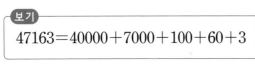

$30589 =$ _____

03 계산해 보시오.

(1) 416×70

(2) 546×37

04 수정이가 설명하는 수를 쓰시오.

수정

10000이 3개,
1000이 2개, 100이 7개,
10이 4개, 1이 6개인
수입니다.

(_____)

05 잘못 계산한 곳을 찾아 바르게 고치시오.

$$\begin{array}{r} 7 \\ 14{\overline{\smash{)}}87} \\ 98 \end{array} \Rightarrow \begin{array}{r} \\ 14{\overline{\smash{)}}87} \\ \end{array}$$

06 큰 수를 작은 수로 나눈 몫을 빈 곳에 써 넣으시오.

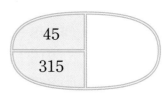

07 밑줄 친 숫자 3이 나타내는 값을 쓰시오.

5340982

( )

08 백만의 자리 숫자가 6인 수를 찾아 기호를 쓰시오.

ㄱ 5628407
ㄴ 6210348
ㄷ 3527641

( )

09 더 작은 수의 기호를 쓰시오.

ㄱ 421905   ㄴ 408037

( )

10 얼마만큼 뛰어 세었는지 쓰시오.

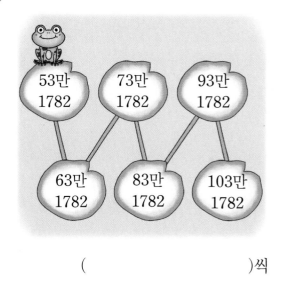

( )씩

11 계산 결과의 크기를 비교하여 ◯ 안에 >, =, <를 알맞게 써넣으시오.

$$253 \times 40 \bigcirc 276 \times 38$$

12 ☐÷32의 나머지가 될 수 <u>없는</u> 수를 모두 찾아 쓰시오.

17	29	32	40

( )

13 더 큰 수의 기호를 쓰시오.

㉠ 삼십사억 천오백육십만
㉡ 915470863

( )

14 몫이 두 자리 수인 나눗셈식을 찾아 기호를 쓰시오.

㉠ $148 \div 17$
㉡ $215 \div 26$
㉢ $867 \div 45$

( )

15 수빈이는 자전거를 타고 1분에 387 m씩 갑니다. 수빈이가 쉬지 않고 30분 동안 간 거리는 몇 m입니까?

( )

16 다음을 수로 나타내면 0을 모두 몇 번 쓰는지 구하시오.

7050조 600억

( )

17 ☐ 안에 알맞은 수를 써넣으시오.

$$\boxed{} \div 37 = 11 \cdots 8$$

18 희선이는 매일 하루에 165번씩 줄넘기를 합니다. 5월 한 달 동안 하는 줄넘기 수는 모두 몇 번입니까?

(   )

19 초콜릿 145개를 상자 한 개에 30개씩 모두 담으려고 합니다. 초콜릿을 모두 담으려면 상자는 적어도 몇 개 필요합니까?

(   )

20 6장의 수 카드를 모두 한 번씩 사용하여 여섯 자리 수를 만들려고 합니다. 천의 자리 숫자가 7인 가장 큰 수를 만드시오.

| 7 | 0 | 5 | 4 | 1 | 3 |

(   )

01 가장 큰 각에 ○표 하시오.

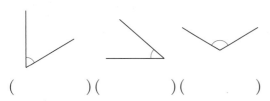

(   ) (   ) (   )

02 오른쪽 도형을 왼쪽으로 밀었을 때의 도형을 그리시오.

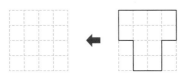

03 도형을 오른쪽으로 뒤집었을 때의 도형을 그리시오.

04 각도를 구하시오.

각의 한 변이 안쪽 눈금 0에 맞추어져 있어요.

(   )

05 예각을 모두 찾아 기호를 쓰시오.

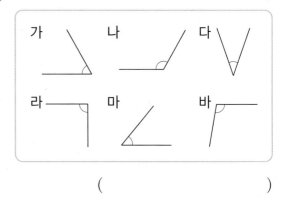

(   )

06 각 ㄱㄴㄷ이 둔각이 되도록 그리려면 점 ㄷ을 어느 점으로 정해야 합니까?

( )

① ② ③ ④
• • • •

ㄱ————————ㄴ

07 각도의 합과 차를 구하시오.

| 25° | 90° |

합 ( )
차 ( )

08 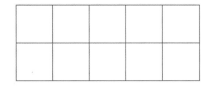 모양으로 밀기를 이용하여 규칙적인 무늬를 만드시오.

09 다음 시각을 나타내는 시계의 긴바늘과 짧은바늘이 이루는 작은 쪽의 각이 예각, 직각, 둔각 중 어느 것인지 구하시오.

2시 30분

2시 30분을 나타내는 시계를 떠올려 보세요.

( )

10 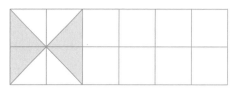 모양으로 뒤집기를 이용하여 규칙적인 무늬를 만드시오.

11 도형에서 ㉠의 각도를 구하시오.

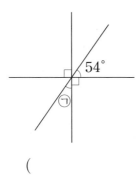

(   )

12 도형에서 ㉠의 각도를 구하시오.

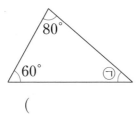

(   )

13 왼쪽 도형을 오른쪽으로 뒤집고 시계 방향으로 90°만큼 돌렸을 때의 도형을 각각 그리시오.

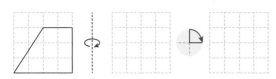

14 도형에서 ㉠의 각도를 구하시오.

사각형의 나머지 한 각의 크기를 구해 보세요.

(   )

15 왼쪽 도형을 시계 반대 방향으로 돌렸더니 오른쪽 도형이 되었습니다. 왼쪽 도형을 시계 반대 방향으로 몇 도만큼 돌린 것인지 쓰시오.

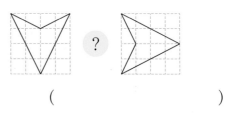

(   )

16 왼쪽 도형을 위쪽으로 5번 뒤집었더니 오른쪽 도형이 되었습니다. 처음 도형을 그리시오.

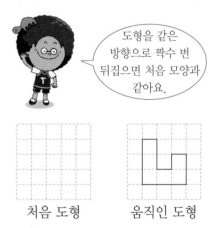

처음 도형   움직인 도형

17 시계 반대 방향으로 180°만큼 돌렸을 때의 모양이 처음과 같은 알파벳을 모두 쓰시오.

(   )

18 그림과 같은 도형이 있습니다. 5개의 각의 크기의 합을 구하시오.

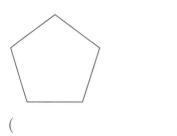

(   )

19 그림에서 찾을 수 있는 크고 작은 예각은 모두 몇 개입니까?

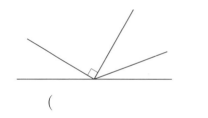

(   )

20 두 자리 수가 적힌 카드를 시계 반대 방향으로 180°만큼 돌렸을 때 만들어지는 수와 처음 수의 차를 구하시오.

(   )

[01-03] 지은이와 친구들이 귤 농장에서 수확한 귤의 무게를 조사하여 나타낸 막대그래프입니다. 물음에 답하시오.

귤의 수확량

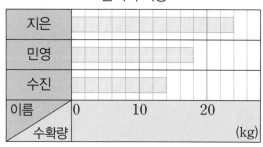

01 그래프에서 가로 눈금 한 칸은 몇 kg을 나타냅니까?

( )

02 민영이의 귤 수확량은 몇 kg입니까?

( )

03 귤을 가장 많이 수확한 사람은 누구입니까?

( )

04 수 배열표를 보고 세로의 규칙에 맞게 ☐ 안에 알맞은 수를 써넣으시오.

1003	1103	1203	1303	1403
2003	2103	2203	2303	2403
3003	3103	3203	3303	3403
4003	4103	4203	4303	4403

세로(↓)는 1103부터 시작하여 아래쪽으로 [   ]씩 커집니다.

05 다음은 영화관 좌석 번호의 일부분입니다. 좌석 번호의 규칙을 찾아 빈 곳에 알맞은 좌석 번호를 쓰시오.

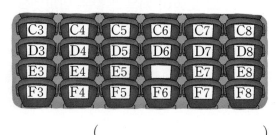

( )

[06-08] 석민이네 반 학생들이 좋아하는 음식을 조사하여 나타낸 막대그래프입니다. 물음에 답하시오.

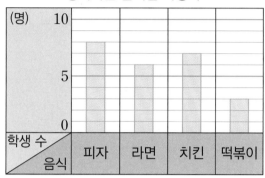

좋아하는 음식별 학생 수

06 치킨을 좋아하는 학생은 몇 명입니까?

( )

07 좋아하는 학생 수가 떡볶이를 좋아하는 학생 수의 2배인 음식은 무엇입니까?

( )

08 가장 많은 학생들이 좋아하는 음식부터 차례로 쓰시오.

( )

09 수 배열표를 보고 규칙적인 계산식을 찾은 것입니다. ☐ 안에 알맞은 수를 써넣으시오.

| 150 | 151 | 152 | 153 | 154 |
| 160 | 161 | 162 | 163 | 164 |

$$160 - 150 = 161 - 151$$

$$161 - 151 = 162 - \boxed{}$$

$$162 - 152 = 163 - 153$$

$$163 - 153 = 164 - \boxed{}$$

10 덧셈을 이용한 수 배열표에서 ■에 알맞은 수를 구하시오.

	111	222	333	444	555
10	1	2	3	4	5
11	2	3	4	5	6
12	3	4	■	6	7
13	4	5	6	7	8

수 배열표에서 규칙을 찾아보세요.

( )

[11-12] 서은이네 반 학생들이 가고 싶어 하는 나라를 조사하여 나타낸 표입니다. 물음에 답하시오.

가고 싶어 하는 나라별 학생 수

나라	중국	미국	영국	호주	합계
학생 수(명)	5	6	8	7	26

11 표를 보고 막대그래프로 나타내시오.

가고 싶어 하는 나라별 학생 수

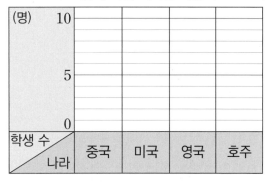

12 가장 많은 학생들이 가고 싶어 하는 나라는 어디입니까?

( )

13 도형의 배열을 보고 다섯째에 알맞은 도형을 그리시오.

첫째 둘째 셋째 넷째 다섯째

[14-16] 지훈이네 반 학생들이 빌린 책의 종류별 수를 조사하여 나타낸 표입니다. 물음에 답하시오.

빌린 책의 종류별 수

종류	동화책	역사책	과학책	시집	합계
책의 수(권)	5	7	6	3	

14 지훈이네 반 학생들이 빌린 책은 모두 몇 권입니까?

( )

15 위의 표를 보고 막대가 가로인 막대그래프로 나타내시오.

빌린 책의 종류별 수

동화책	
역사책	
과학책	
시집	
종류 / 책의 수	0 5 10 (권)

16 빌린 책의 수가 역사책은 시집보다 몇 권 더 많습니까?

( )

17 재은이가 4일 동안 리코더 연습을 한 시간을 조사하여 나타낸 막대그래프입니다. 4일 동안 리코더 연습을 한 시간은 모두 몇 시간 몇 분입니까?

리코더 연습을 한 시간

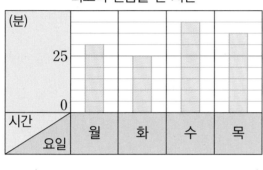

(   )

18 규칙적인 곱셈식을 보고 다섯째 빈칸에 알맞은 식을 써넣으시오.

순서	곱셈식
첫째	$106 \times 4 = 424$
둘째	$1006 \times 4 = 4024$
셋째	$10006 \times 4 = 40024$
넷째	$100006 \times 4 = 400024$
다섯째	

곱해지는 수와 곱이 어떻게 변하고 있는지 규칙을 찾아보세요.

19 도형의 배열을 보고 다섯째에 알맞은 도형을 그리시오.

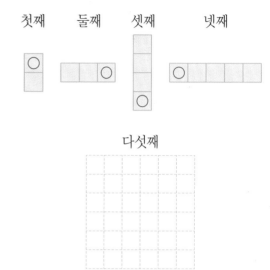

첫째   둘째   셋째   넷째

다섯째

20 달력에서 규칙적인 계산식을 찾아 ☐ 안에 알맞은 수를 써넣으시오.

9월

일	월	화	수	목	금	토
			1	2	3	4	5
6	7	8	9	10	11	12
13	14	15	16	17	18	19
20	21	22	23	24	25	26
27	28	29	30			

$$6 + 14 = 7 + 13$$
$$7 + 15 = 8 + 14$$
$$8 + 16 = 9 + \boxed{}$$
$$9 + \boxed{} = 10 + 16$$

메모

초등생의 필수 학습! 탄탄하게 다져두자!

수학
전략

초등 **수학**

천재교육

초등생의 필수 학습!
탄탄하게 다져투자!

수학
전략

초등 **수학**

4·1

핵심개념&연산 집중연습

천재교육

4·1

목차

1. 큰 수 ································· 2쪽

2. 각도 ································· 12쪽

3. 곱셈과 나눗셈 ················· 20쪽

4. 평면도형의 이동 ············· 30쪽

5. 막대그래프 ······················ 36쪽

6. 규칙 찾기 ························· 40쪽

정답 ······································ 46쪽

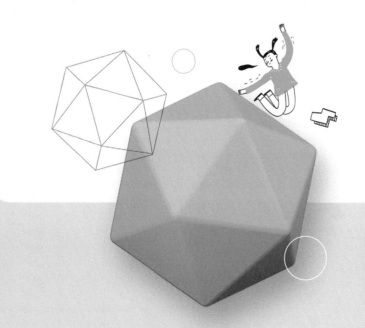

1 만

◐ 만 알아보기

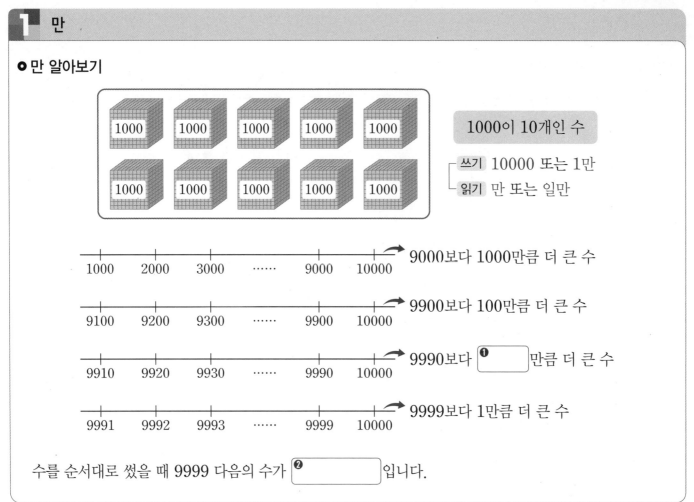

1000이 10개인 수

쓰기 10000 또는 1만
읽기 만 또는 일만

9000보다 1000만큼 더 큰 수

9900보다 100만큼 더 큰 수

9990보다 **❶** 만큼 더 큰 수

9999보다 1만큼 더 큰 수

수를 순서대로 썼을 때 9999 다음의 수가 **❷** 입니다.

[답] ❶ 10 ❷ 10000

핵심체크

1 (1) 10000은 9900보다 (1000 , 100)만큼 더 큰 수입니다.

   (2) 10000은 9999보다 (100 , 10 , 1)만큼 더 큰 수입니다.

2 10000은 1000이 □개인 수이고, (천 , 만)이라고 읽습니다.

10000은 1000의 10배인 수입니다.

2 다섯 자리 수

○ 다섯 자리 수 알아보기

• 10000이 2개, 1000이 3개, 100이 5개, 10이 6개, 1이 4개인 수를 23564라 쓰고, 이만 삼천오백육십사라고 읽습니다.

10000이 2개 →	20000	(이만)	← 만의 자리
1000이 3개 →	3000	(삼천)	← 천의 자리
100이 5개 →	500	(오백)	← 백의 자리
10이 6개 →	❶	(육십)	← 십의 자리
1이 4개 →	4	(사)	← 일의 자리

⇨ 23564 (이만 삼천오백육십사)

$$23564 = 20000 + 3000 + 500 + 60 + 4$$

• 수를 읽을 때에는 왼쪽부터 숫자를 먼저 읽고, 그 다음에 숫자가 있는 자리를 읽습니다.

• 수를 읽을 때 만의 자리와 천의 자리 사이는 띄어 읽습니다.

• 자리의 숫자가 0일 때는 숫자와 자릿값을 모두 읽지 않습니다.

　㉔ 26507 ⇨ 이만 육천오백칠

• 수를 쓸 때 읽지 않은 자리에는 0을 씁니다.

　㉔ 구만 칠천삼십오 ⇨ ❷

[답] ❶ 60　❷ 97035

핵심 체크

1 10000이 4개, 1000이 5개, 100이 3개, 10이 8개, 1이 6개이면 (45386 , 68354)입니다.

2 (1) 49088은 (사천구백팔십팔 , 사만 구천팔십팔)이라고 읽습니다.

　(2) 60723은 [　]만 [　　　　　　]이라고 읽습니다.

자리의 숫자가 0일 때는 숫자와 자릿값을 모두 읽지 않습니다.

3 십만, 백만, 천만

○ 십만, 백만, 천만 알아보기

읽기		쓰기		
십만	10000이 10개인 수	100000	10만	
백만	10000이 100개인 수	1000000	❶	
천만	10000이 1000개인 수	10000000	1000만	

10배
10배

○ 각 자리의 숫자가 나타내는 값 알아보기

10000이 5247개이면 52470000 또는 5247만이라 쓰고, 오천이백사십칠만이라고 읽습니다.

52470000 ⇨
오천이백사십칠만

		천만의 자리	백만의 자리	십만의 자리	만의 자리
	숫자	5	2	❷	7
	수	50000000	2000000	400000	70000

$$52470000 = 50000000 + 2000000 + 400000 + 70000$$

[답] ❶ 100만 ❷ 4

핵심 체크

1 (1) 10000이 10개이면 100000 또는 [　　　]이라 쓰고, [　　　]이라고 읽습니다.

(2) 10000000은 (100만 , 1000만)이라 쓰고, (백만 , 천만)이라고 읽습니다.

2 25460000에서 5는 [　　　]의 자리 숫자이고, [　　　　　]을 나타냅니다.

4 억, 조

○ 억, 조 알아보기

읽기		쓰기	
억(일억)	1000만이 10개인 수	100000000	1억
조(일조)	1000억이 10개인 수	1000000000000	❶

○ 각 자리의 숫자가 나타내는 값 알아보기

2	5	7	6	0	0	0	0	0	0	0	0	0	0	0	0
천	백	십	일	천	백	십	일	천	백	십	일	천	백	십	일
		조				❷				만					

$$2576000000000000$$
$$=2000000000000000+500000000000000+70000000000000+6000000000000$$

○ 일, 만, 억, 조의 관계 알아보기

| 1 | ─10000배→ | 1만 | ─10000배→ | 1억 | ─10000배→ | 1조 |

[답] ❶ 1조 ❷ 억

핵심체크

1 (1) 1000000000은 (억, 십억)이라고 읽습니다.

(2) 1000000000000는 (일조 , 십조)라고 읽습니다.

1조는 0이 12개예요!

2 사조 팔천오백이십억을 수로 쓰면 (485200000000 , 4852000000000)입니다.

5 뛰어 세기

○ 뛰어 세기

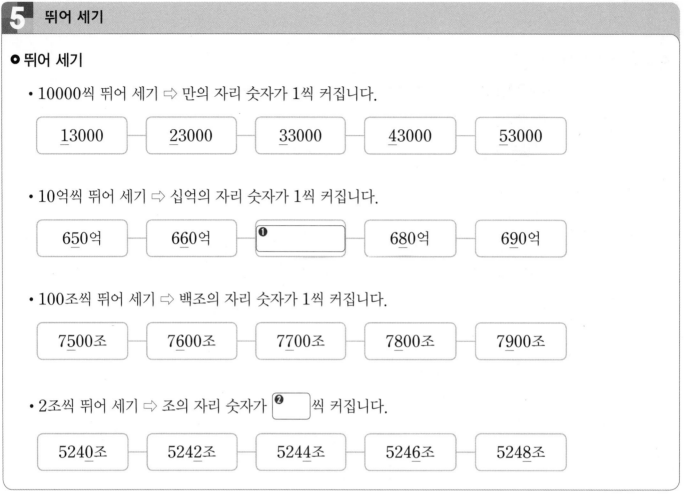

• 10000씩 뛰어 세기 ⇨ 만의 자리 숫자가 1씩 커집니다.

| 1̲3000 | — | 2̲3000 | — | 3̲3000 | — | 4̲3000 | — | 5̲3000 |

• 10억씩 뛰어 세기 ⇨ 십억의 자리 숫자가 1씩 커집니다.

| 65̲0억 | — | 66̲0억 | — | ❶ | — | 68̲0억 | — | 69̲0억 |

• 100조씩 뛰어 세기 ⇨ 백조의 자리 숫자가 1씩 커집니다.

| 7̲500조 | — | 7̲600조 | — | 7̲700조 | — | 7̲800조 | — | 7̲900조 |

• 2조씩 뛰어 세기 ⇨ 조의 자리 숫자가 ❷ 씩 커집니다.

| 524̲0조 | — | 524̲2조 | — | 524̲4조 | — | 524̲6조 | — | 524̲8조 |

[답] ❶ 670억 ❷ 2

핵심 체크

1 (1) 100만씩 뛰어 세면 (십만 , 백만)의 자리 숫자가 1씩 커집니다.

(2) 300억씩 뛰어 세면 백억의 자리 숫자가 (3 , 300)씩 커집니다.

2

| 3250000 | — | 3350000 | — | 3450000 | — | 3550000 |

⇨ 10만의 자리 숫자가 1씩 커지므로 　　　　　씩 뛰어 세었습니다.

어느 자리의 숫자가 변하고 있는지 확인하세요.

6 **수의 크기 비교**

○ 자리 수가 다른 수의 크기 비교

자리 수가 많은 쪽이 더 큽니다.

$$98765 \ \boxed{<} \ 123560$$
(5자리) (6자리)

$$260억 \ 5000만 \ \overset{❶}{\bigcirc} \ 95억 \ 9000만$$
(11자리) (10자리)

○ 자리 수가 같은 수의 크기 비교

가장 높은 자리의 숫자부터 차례로 비교하여 수가 큰 쪽이 더 큽니다.

$$623520 \ \boxed{>} \ 576430$$
└── 6>5 ──┘

$$2조 \ 1800억 \ \overset{❷}{\bigcirc} \ 2조 \ 2000억$$
└── 1<2 ──┘

> **큰 수의 크기 비교 방법**
> ① 자리 수가 더 많은 쪽이 더 큽니다.
> ② 자리 수가 같으면 가장 높은 자리부터 비교하여 수가 큰 쪽이 더 큽니다.

참고 수를 수직선에 나타내었을 때 오른쪽에 있는 수가 더 큽니다.

[답] ❶ > ❷ <

핵심 체크

1 큰 수의 크기를 비교할 때, 자리 수가 같으면 가장 (높은 , 낮은) 자리부터 비교하여 수가 큰 쪽이 더 큽니다.

2 (1) 105938000과 42000000 중에서 더 큰 수는 (105938000 , 42000000)입니다.

　(2) 527400000000과 524700000000 중에서 더 큰 수는
　　(527400000000 , 524700000000)입니다.

집중 연습

[01~08] 수를 읽으시오.

01 54137

(   )

02 46051650

(   )

03 37602534256

(   )

04 7150094730903

(   )

05 976452

(   )

06 4870000

(   )

07 187063505

(   )

08 50664308900000

(   )

[09~16] 수로 나타내시오.

09 육만 오천구백이십일
( )

13 팔십삼만 팔천칠백십육
( )

10 칠천이백오십팔만 오천사백칠십구
( )

14 일억 육백오십사만
( )

11 이억 육백팔십오만 사천
( )

15 백삼십이억 이천육백만
( )

12 사십조 이천팔백억 육십오만
( )

16 육천칠조 팔십오억 천백
( )

[17~23] 뛰어 세기를 하여 빈칸에 알맞은 수를 써넣으시오.

17

18
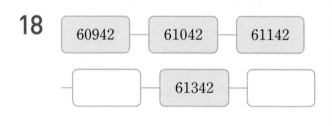

19

20
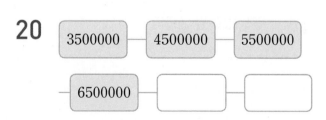

21

22

23
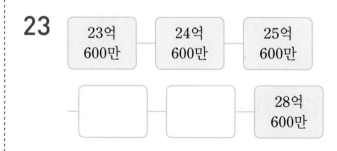

[24~31] ◯ 안에 >, <를 알맞게 써넣으시오.

24 58492 ◯ 135790

25 92536 ◯ 92436

26 7504553 ◯ 7612700

27 217985421 ◯ 217567890

28 7만 6812 ◯ 6만 9858

29 4억 5000 ◯ 4만 5000

30 1억 9720만 ◯ 1억 9721만

31 5649조 8000만 ◯ 5649조 5억

7 각의 크기 비교, 각도

◉ 각의 크기 비교

변의 길이에 관계없이 두 변이 많이 벌어진 쪽이 큰 각입니다.

⇨ **❶**⬚ 가 가보다 더 큰 각입니다.

◉ 각도 알아보기

• 각의 크기를 각도라고 합니다.

• 직각의 크기를 똑같이 90으로 나눈 것 중 하나를 1도라 하고, 1°라고 씁니다.

• 직각의 크기는 **❷**⬚ °입니다.

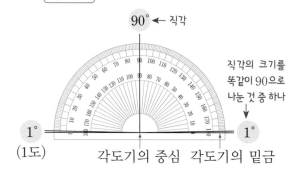

90° ← 직각

직각의 크기를
똑같이 90으로
나눈 것 중 하나

1°
(1도)

각도기의 중심   각도기의 밑금

각도를 잴 때는
각도기의 밑금에 맞춘 각의
변이 닿은 눈금 0에서 시작하여
나머지 각의 변 하나가 가리키는
눈금을 읽습니다.

[답] ❶ 나 ❷ 90

핵심 체크

1 변의 길이에 관계없이 두 변이 많이 벌어진 각이 더 (큰 , 작은) 각입니다.

2 직각의 크기를 똑같이 90으로 나눈 것 중 하나를 1도라 하고 ⬚ 라고 씁니다.

8 각 그리기

● 각도기를 이용하여 각도가 60°인 각 ㄱㄴㄷ 그리기

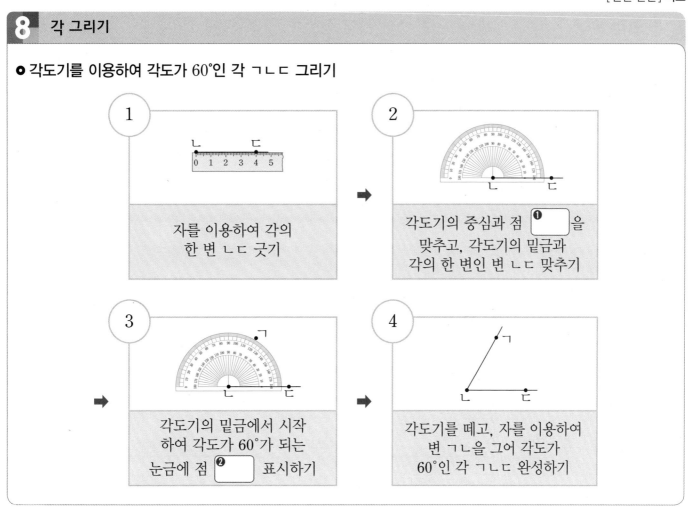

1
자를 이용하여 각의
한 변 ㄴㄷ 긋기

2
각도기의 중심과 점 **❶**[　　]을
맞추고, 각도기의 밑금과
각의 한 변인 변 ㄴㄷ 맞추기

3
각도기의 밑금에서 시작
하여 각도가 60°가 되는
눈금에 점 **❷**[　　] 표시하기

4
각도기를 떼고, 자를 이용하여
변 ㄱㄴ을 그어 각도가
60°인 각 ㄱㄴㄷ 완성하기

[답] ❶ ㄴ ❷ ㄱ

핵심 체크

1 각을 그리기 위해서 각의 꼭짓점을 정한 후 각도기의 (중심 , 밑변)과 각의 꼭짓점을 맞춥니다.

2

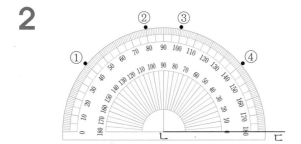

각도가 100°인 각 ㄱㄴㄷ을 그리기 위해
찍어야 할 점 ㄱ을 찾으면 [　]입니다.

9 예각, 둔각

○ 예각과 둔각 알아보기

• 각도가 0°보다 크고 직각보다 작은 각을 예각이라고 합니다.

• 각도가 직각보다 크고 180°보다 작은 각을 둔각이라고 합니다.

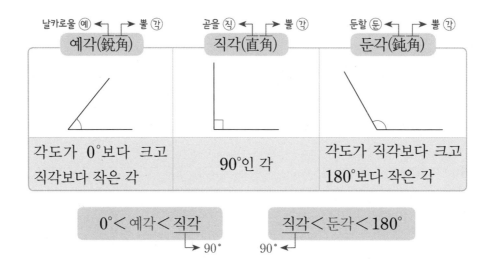

예각(銳角)	직각(直角)	둔각(鈍角)
각도가 0°보다 크고 직각보다 작은 각	90°인 각	각도가 직각보다 크고 180°보다 작은 각

$$0° < 예각 < 직각$$ $$직각 < 둔각 < 180°$$

직각을 기준으로 직각보다 작으면 ❶ [   ]이고, 직각보다 크면 ❷ [   ]입니다.

[답] ❶ 예각 ❷ 둔각

핵심체크

1 각도가 0°보다 크고 직각보다 작은 각을 (예각 , 둔각)이라고 합니다.

2   ⇨ 직각보다 큰 각이므로 (예각 , 둔각)입니다.

각도가 직각보다 크고 180°보다 작은 각입니다.

10 각도 어림하기, 각도의 합과 차

● 각도 어림하기

각도기를 이용하지 않고도 어림하기 쉬운 90°, 180°를 이용하여 각도를 어림하거나 삼각자의 각과 비교하여 각도를 어림할 수 있습니다.

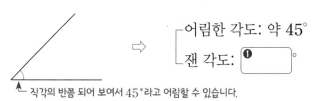

⇨ ┌ 어림한 각도: 약 45°
   └ 잰 각도: **❶** ☐ °

↖ 직각의 반쯤 되어 보여서 45°라고 어림할 수 있습니다.

● 각도의 합과 차

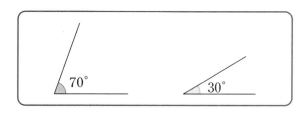

70°   30°

① 두 각도의 합	② 두 각도의 차
자연수의 덧셈과 같은 방법으로 계산한 다음 단위(°)를 붙입니다.	자연수의 뺄셈과 같은 방법으로 계산한 다음 단위(°)를 붙입니다.

$$70° + 30° = 100°$$

$$70° - 30° = \boxed{❷} °$$

[답] ❶ 45 ❷ 40

핵심체크

1 각도의 합을 구할 때는 자연수의 (덧셈 , 뺄셈)과 같은 방법으로 계산한 다음 단위(°)를 붙입니다.

2　(1) $50° + 80° = \boxed{}°$　　　　(2) $140° - 90° = \boxed{}°$

11 삼각형의 세 각의 크기의 합

○ 삼각형의 세 각의 크기의 합

• 세 각의 크기를 각도기로 재어서 알아보기

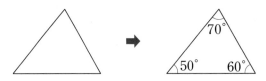

$$(삼각형의 세 각의 크기의 합) = 70° + 50° + 60° = \boxed{❶}°$$

• 삼각형을 잘라서 알아보기

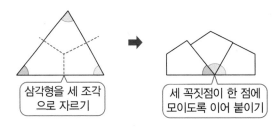

삼각형을 세 조각으로 자르기

세 꼭짓점이 한 점에 모이도록 이어 붙이기

세 각을 이어 붙이면 $\boxed{❷}°$입니다.

삼각형의 모양과 크기에 관계없이 삼각형의 세 각의 크기의 합은 180°입니다.

[답] ❶ 180 ❷ 180

핵심 체크

1

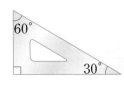

⇨ (직각 삼각자의 세 각의 크기의 합)

$$= 60° + 90° + 30° = \boxed{}°$$

직각 삼각자도 삼각형이에요.

2 삼각형의 모양과 크기에 관계없이 삼각형의 세 각의 크기의 합은 (180° , 360°)입니다.

12 사각형의 네 각의 크기의 합

○ 사각형의 네 각의 크기의 합

• 네 각의 크기를 각도기로 재어서 알아보기

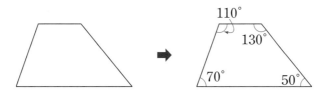

(사각형의 네 각의 크기의 합)=$110°+70°+50°+130°=$❶[   ]°

• 삼각형 2개로 나누어 알아보기

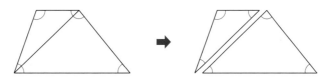

(사각형의 네 각의 크기의 합)=(삼각형의 세 각의 크기의 합)×2

$=180°×2=$❷[   ]°

사각형의 모양과 크기에 관계없이 사각형의 네 각의 크기의 합은 360°입니다.

[답] ❶ 360 ❷ 360

핵심 체크

1 (사각형의 네 각의 크기의 합)=(삼각형의 세 각의 크기의 합)×2

$=$[   ]°×2$=$[   ]°

2 사각형의 모양과 크기에 관계없이 사각형의 네 각의 크기의 합은 (180° , 360°)입니다.

집중 연습

[01~10] 각도의 합을 구하시오.

01 $45^\circ+30^\circ$

02 $90^\circ+40^\circ$

03 $15^\circ+30^\circ$

04 $45^\circ+45^\circ$

05 $100^\circ+85^\circ$

06 $32^\circ+32^\circ$

07 $16^\circ+55^\circ$

08 $95^\circ+14^\circ$

09 $46^\circ+70^\circ$

10 $165^\circ+90^\circ$

[11~20] 각도의 차를 구하시오.

11 $90° - 40°$

12 $100° - 55°$

13 $150° - 90°$

14 $95° - 75°$

15 $60° - 25°$

16 $50° - 45°$

17 $120° - 45°$

18 $270° - 35°$

19 $90° - 62°$

20 $125° - 88°$

13 (세 자리 수)×(몇십)

○ (몇백)×(몇십)

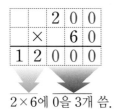

2×6에 0을 3개 씀.

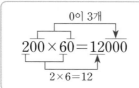

(몇백)×(몇십)은 (몇)×(몇)의 계산 결과에 0을 **❶** 개 붙입니다.

○ (세 자리 수)×(몇십)

• (세 자리 수)×(몇)을 이용하여 (세 자리 수)×(몇십)을 계산하기

곱하는 수를 10배 하면 곱도 10배가 됩니다.

$$162 \times 2 = 324$$
$$\downarrow 10배 \quad \downarrow 10배$$
$$162 \times 20 = 3240$$

$$\begin{array}{r} 1\,6\,2 \\ \times \quad 2 \\ \hline 3\,2\,4 \end{array} \qquad \begin{array}{r} 1\,6\,2 \\ \times \quad 2\,0 \\ \hline 3\,2\,4\,0 \end{array}$$

10배

162×2에 0을 1개 씀.

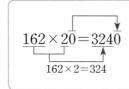

(세 자리 수)×(몇십)은 (세 자리 수)×(몇)의 계산 결과에 0을 **❷** 개 붙입니다.

[답] ❶ 3 ❷ 1

핵심 체크

1 300×40을 계산하면 (1200 , 12000)입니다.

2 (1) 213×2=426 ⇨ 213×20= ☐

(2) 527×6=3162 ⇨ 527×60= ☐

 곱하는 수를 10배 하면 곱도 10배가 돼요.

14 (세 자리 수)×(두 자리 수), 곱셈의 활용

○ (세 자리 수)×(두 자리 수)

> (세 자리 수)×(두 자리 수)는 두 자리 수를 일의 자리와 십의 자리로 나누어 각각 계산한 후 더합니다.
>
> $$254 \times 76 = (254 \times 6) + (254 \times 70) = 1524 + 17780 = 19304$$

```
    2 5 4          2 5 4              2 5 4
  ×   7 0        ×     6          ×     7 6
  1 7 7 8 0      1 5 2 4            1 5 2 4
                                  1 7 7 8 0
                                  1 9 3 0 4
```

```
      2 5 4
  ×     7 6
    1 5 2 4
  1 7 7 8 0
  1 9 3 0 4
```
세로 계산에서 십의 자리를 곱한 수의 0의 표시를 생략 하기도 합니다.

○ 곱셈의 활용

알맞은 곱셈식을 세워 문제를 해결할 수 있습니다.

예 한 자루에 480원 하는 연필 12자루의 가격 구하기

⇨ (연필 한 자루의 가격)×(연필 수)=$480 \times 12 = 5760$(원)

예제 ❶
```
      2 1 8
  ×     3 2
  ❶ [        ] ←218×2

    6 5 4 0  ←218×30
    6 9 7 6
```

❷
```
      5 2 4
  ×     1 7
    3 6 6 8  ←524×7
  ❷ [      ] 0 ←524×10
    8 9 0 8
```

[답] ❶ 436 ❷ 524

핵심 체크

1 $145 \times 43 = (145 \times 3) + (145 \times 40) = 435 + \boxed{} = \boxed{}$

2 609×87의 계산 결과는 (9135 , 52983)입니다.

세로로 계산하면 편리합니다.

15 (몇백 몇십)÷(몇십), (두 자리 수)÷(몇십)

○ (몇백 몇십)÷(몇십)

120÷20의 몫은 12÷2의 몫과 같습니다.

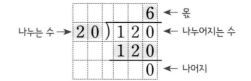

$$120 \div 20 = \boxed{❶}$$

$$12 \div 2 = 6$$

○ (두 자리 수)÷(몇십)

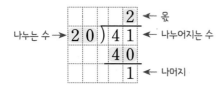

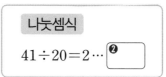

나눗셈식

$$41 \div 20 = 2 \cdots \boxed{❷}$$

나눗셈을 한 후에는 계산한 결과가 맞는지 확인하도록 합니다.

⇨ 나누는 수와 몫의 곱에 나머지를 더하면 나누어지는 수가 됩니다.

$$41 \div 20 = 2 \cdots 1 \quad \Rightarrow \quad \boxed{확인} \; 20 \times 2 = 40, \; 40 + 1 = 41$$

나누는 수 몫 나머지

[답] ❶ 6 ❷ 1

핵심 체크

1 160÷20의 몫과 16÷2의 몫은 (같습니다 , 다릅니다).

2 (1)

몫 _____

나머지 _____

(2)

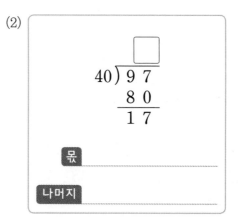

몫 _____

나머지 _____

16 (세 자리 수)÷(몇십), (두 자리 수)÷(두 자리 수)

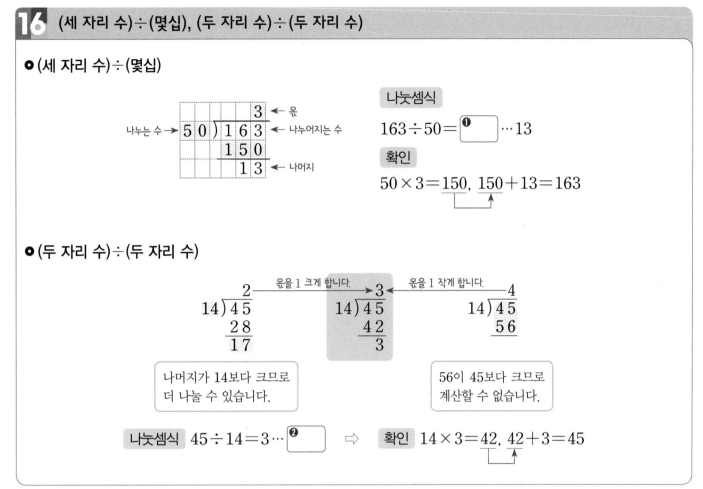

● (세 자리 수)÷(몇십)

나눗셈식

$163 \div 50 =$ ❶ $\cdots 13$

확인

$50 \times 3 = 150,\ 150 + 13 = 163$

● (두 자리 수)÷(두 자리 수)

나눗셈식 $45 \div 14 = 3 \cdots$ ❷ ⇨ 확인 $14 \times 3 = 42,\ 42 + 3 = 45$

[답] ❶ 3 ❷ 3

핵심체크

1 $214 \div 50$을 계산하면 몫은 4이고, 나머지는 (4 , 14)입니다.

2 (1)

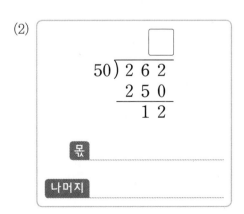

(2)

17 몫이 한 자리 수인 (세 자리 수)÷(두 자리 수)

● 몫이 한 자리 수인 (세 자리 수)÷(두 자리 수)

• 290÷41 계산하기

$41 \times 6 = 246$
$41 \times 7 = 287$
$41 \times 8 = 328$

$$41 \overline{)290}$$
$$\underline{287}$$
$$3$$

7 ← 몫
← 나머지

└ 곱이 290보다 작으면서 290과 가장 가까운 식을 찾으면 $41 \times 7 = 287$입니다.

나눗셈식

$290 \div 41 = \boxed{❶} \cdots 3$

확인

$41 \times 7 = 287, \ 287 + 3 = 290$

예제 ❶
$$29 \overline{)116}$$
$$\underline{116}$$
$$0$$
❷☐ ← 몫
← 나머지

❷
$$35 \overline{)182}$$
$$\underline{175}$$
$$7$$
❸☐ ← 몫
← 나머지

참고 나머지가 0일 때, 나누어떨어진다고 합니다.

[답] ❶ 7 ❷ 4 ❸ 5

핵심체크

1
$$23 \overline{)143}$$
$$\underline{138}$$
$$5$$
6

(1) 143÷23의 몫은 (5 , 6)입니다.

(2) 143÷23의 나머지는 (5 , 6)입니다.

2 (1) $315 \div 34 = \boxed{} \cdots \boxed{}$

(2) $230 \div 36 = \boxed{} \cdots \boxed{}$

나눗셈을 한 후 계산한 결과가 맞는지 확인해 보세요.

18 몫이 두 자리 수인 (세 자리 수)÷(두 자리 수)

◦ 몫이 두 자리 수인 (세 자리 수)÷(두 자리 수)

$$
\begin{array}{r}
3 \\
1\,0 \\
17{\overline{\smash{\big)}\,2\,2\,3}} \\
1\,7\,0 \leftarrow 17 \times 10 \\
\hline
5\,3 \leftarrow 223-170 \\
5\,1 \leftarrow 17 \times 3 \\
\hline
2 \leftarrow 53-51
\end{array}
\quad\Rightarrow\quad
\begin{array}{r}
1\,3 \\
17{\overline{\smash{\big)}\,2\,2\,3}} \\
1\,7 \\
\hline
5\,3 \\
5\,1 \\
\hline
2
\end{array}
$$

나눗셈식 $223 \div 17 = $ ❶ $\boxed{} \cdots 2$ ⇒ **확인** $17 \times 13 = 221,\ 221 + 2 = 223$

몫 · 나머지   몫 · 나머지

예제 ❶

$$
\begin{array}{r}
\text{❷}\boxed{}2 \\
19{\overline{\smash{\big)}\,2\,2\,8}} \\
1\,9 \\
\hline
3\,8 \\
3\,8 \\
\hline
0
\end{array}
$$

❷

$$
\begin{array}{r}
\text{❸}\boxed{}2 \\
27{\overline{\smash{\big)}\,7\,3\,0}} \\
5\,4 \\
\hline
1\,9\,0 \\
1\,8\,9 \\
\hline
1
\end{array}
$$

[답] ❶ 13 ❷ 1 ❸ 7

핵심체크

1 (1)

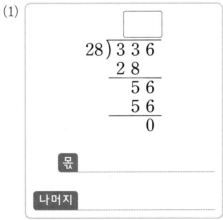

$$
\begin{array}{r}
\boxed{} \\
28{\overline{\smash{\big)}\,3\,3\,6}} \\
2\,8 \\
\hline
5\,6 \\
5\,6 \\
\hline
0
\end{array}
$$

몫 _____

나머지 _____

(2)

$$
\begin{array}{r}
\boxed{} \\
43{\overline{\smash{\big)}\,5\,6\,1}} \\
4\,3 \\
\hline
1\,3\,1 \\
1\,2\,9 \\
\hline
2
\end{array}
$$

몫 _____

나머지 _____

2 $754 \div 25$의 몫은 $\boxed{}$이고, 나머지는 $\boxed{}$입니다.

집중 연습

[01~08] 계산을 하시오.

01
```
    4 0 0
  ×   6 0
```

05
```
    3 0 9
  ×   3 0
```

02
```
    1 5 0
  ×   4 0
```

06
```
    1 8 4
  ×   7 2
```

03
```
    2 5 3
  ×   1 3
```

07
```
    6 4 0
  ×   5 5
```

04
```
    5 1 7
  ×   8 6
```

08
```
    7 9 1
  ×   4 3
```

[09~16] 계산을 하시오.

09

$30 \overline{)\ 9\ 0}$

10

$60 \overline{)\ 4\ 2\ 0}$

11

$24 \overline{)\ 3\ 6\ 0}$

12

$16 \overline{)\ 9\ 2}$

13

$38 \overline{)\ 7\ 6}$

14

$55 \overline{)\ 6\ 6\ 0}$

15

$14 \overline{)\ 3\ 3\ 6}$

16

$50 \overline{)\ 5\ 5\ 8}$

집중 연습

[17~24] 계산을 하시오.

17 700×80

18 504×22

19 617×50

20 198×74

21 196×25

22 336×19

23 294×57

24 461×41

[25~32] 계산을 하시오.

25 $120 \div 40$

26 $84 \div 14$

27 $632 \div 90$

28 $592 \div 16$

29 $720 \div 23$

30 $198 \div 16$

31 $995 \div 31$

32 $850 \div 32$

19 평면도형을 밀기

○ 평면도형을 밀기

주어진 도형을 밀 때에는 한 변을 기준으로 하여 밉니다.

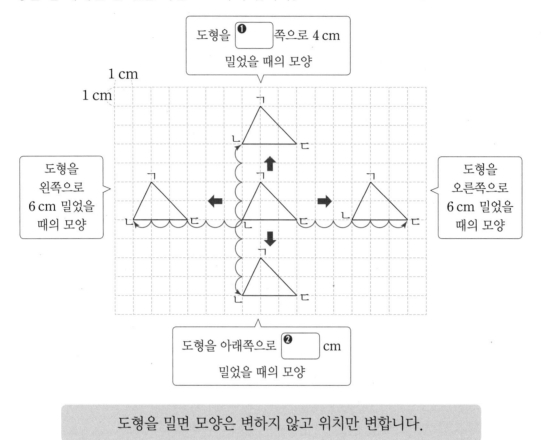

도형을 **❶** □ 쪽으로 4 cm 밀었을 때의 모양

도형을 왼쪽으로 6 cm 밀었을 때의 모양

도형을 오른쪽으로 6 cm 밀었을 때의 모양

도형을 아래쪽으로 **❷** □ cm 밀었을 때의 모양

도형을 밀면 모양은 변하지 않고 위치만 변합니다.

[답] ❶ 위 ❷ 4

핵심체크

1 도형을 밀면 (모양 , 위치)이/가 변합니다.

도형을 밀어도 모양은 변하지 않습니다.

2

도형을 오른쪽으로 □ cm 밀었습니다.

20 평면도형을 뒤집기

● 평면도형을 뒤집기

- 도형을 왼쪽(오른쪽)으로 뒤집으면 도형의 왼쪽과 오른쪽의 방향이 서로 바뀝니다.
- 도형을 위쪽(아래쪽)으로 뒤집으면 도형의 위쪽과 아래쪽의 방향이 서로 바뀝니다.

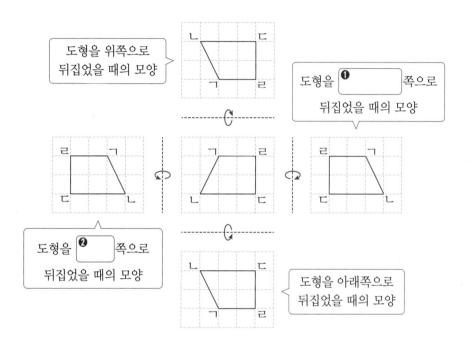

도형을 위쪽으로 뒤집었을 때의 모양

도형을 ❶　　　쪽으로 뒤집었을 때의 모양

도형을 ❷　　　쪽으로 뒤집었을 때의 모양

도형을 아래쪽으로 뒤집었을 때의 모양

> **참고**
> - 도형을 왼쪽으로 뒤집은 모양과 오른쪽으로 뒤집은 모양은 서로 같습니다.
> - 도형을 위쪽으로 뒤집은 모양과 아래쪽으로 뒤집은 모양은 서로 같습니다.
> - 도형을 같은 방향으로 짝수 번 뒤집으면 처음 도형과 같습니다.

[답] ❶ 오른 ❷ 왼

핵심 체크

1 도형을 오른쪽 또는 왼쪽으로 뒤집으면 도형의 오른쪽과 (왼쪽 , 위쪽)이 서로 바뀝니다.

2 도형을 위쪽으로 뒤집었을 때와 (왼쪽 , 아래쪽)으로 뒤집었을 때의 모양이 서로 같습니다.

21 평면도형을 돌리기

○ 평면도형을 돌리기

도형을 돌렸을 때 도형의 모양은 변하지 않고 도형의 방향이 바뀝니다.

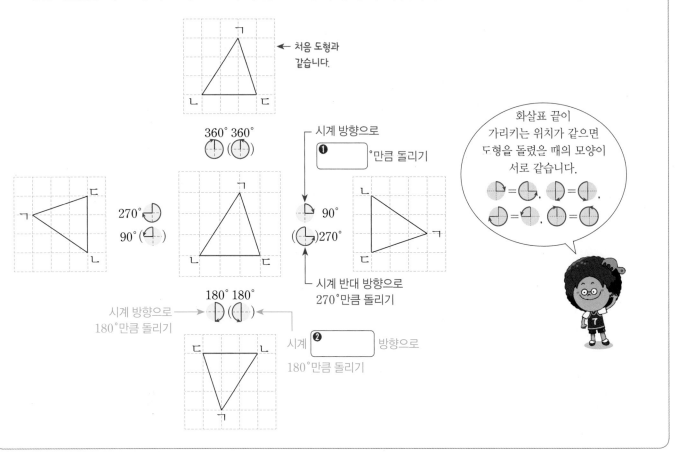

[답] ❶ 90 ❷ 반대

핵심 체크

1 도형을 시계 방향으로 90°만큼 돌리면 도형의 위쪽이 (오른쪽 , 아래쪽)으로 바뀝니다.

2 도형을 시계 반대 방향으로 90°만큼 돌린 모양과 도형을 시계 방향으로 ☐°만큼 돌린 모양은 서로 같습니다.

22 무늬 꾸미기

○ 무늬에서 규칙 찾기

 모양을 오른쪽으로 ❶[   ]를 반복해서 만든 무늬입니다.

> 밀기, 뒤집기, 돌리기 중 어떤 방법으로 만든 무늬인지 알아봅니다.

○ 무늬 꾸미기

밀기, 뒤집기, 돌리기를 이용하여 규칙적인 무늬를 만들 수 있습니다.

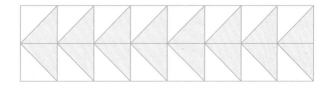

 모양을 오른쪽으로 밀기를 반복해서 모양을 만들고 다시 그 모양을 ❷[   ]쪽으로 뒤집어서 무늬를 꾸몄습니다.

[답] ❶ 밀기 ❷ 아래

핵심 체크

가 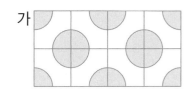 나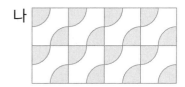

1 모양을 밀기를 이용하여 꾸민 무늬는 (가 , 나)입니다.

> 주어진 모양이 어떻게 바뀌었는지 확인해요.

2  모양을 뒤집기를 이용하여 꾸민 무늬는 (가 , 나)입니다.

집중 연습

[01~03] 도형을 밀었을 때의 모양을 그리시오.

01

오른쪽으로 6 cm 밀기

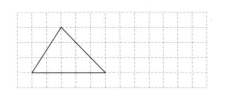

02

오른쪽으로 7 cm 밀기

03

왼쪽으로 8 cm 밀기

[04~06] 도형을 왼쪽 또는 오른쪽으로 뒤집었을 때의 모양을 그리시오.

04

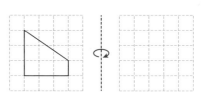

05

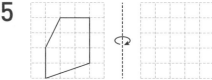

06

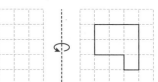

[07~10] 도형을 돌렸을 때의 모양을 그리시오.

07

08

09

10

[11~13] 도형을 뒤집고 돌렸을 때의 모양을 각각 그리시오.

11

12

13

23 막대그래프 알아보기

● 막대그래프 알아보기

막대그래프: 조사한 자료의 수를 막대 모양으로 나타낸 그래프

좋아하는 과목별 학생 수

과목	국어	사회	수학	과학	합계
학생 수(명)	5	2	7	6	20

좋아하는 과목별 학생 수

위의 막대그래프에서

(1) 가로는 과목을, 세로는 학생 수를 나타냅니다.

(2) 세로 눈금 한 칸은 ❶⬚명을 나타냅니다.

(3) 그래프에서 막대의 길이는 좋아하는 과목별 학생 수를 나타냅니다.

(4) 가장 많은 학생들이 좋아하는 과목은 막대의 길이가 가장 긴 ❷⬚입니다.

[답] ❶ 1 ❷ 수학

핵심체크

1 조사한 자료의 수를 막대 모양으로 나타낸 그래프를 (그림그래프 , 막대그래프)라고 합니다.

2 자료의 수의 많고 적음을 비교하기 쉬운 것은 (표 , 막대그래프)입니다.

24 막대그래프로 나타내기

○ **막대그래프로 나타내기**

반별 안경을 쓴 학생 수

반	1반	2반	3반	4반	합계
학생 수(명)	5	7	11	8	31

⇩

④ 반별 안경을 쓴 학생 수

② 눈금 한 칸의 크기 정하기, 눈금 수 정하기

④ 알맞은 ❷ 붙이기

③ 조사한 수에 알맞게 막대 그리기

① 가로와 세로 중 어느 쪽에 조사한 수를 나타낼지 정하기

(명) / ② 10 / ③ 5 / ① / 0 / 학생 수 ❶ / 1반 / 2반 / 3반 / 4반

[답] ❶ 반 ❷ 제목

핵심체크

기르고 있는 동물 수

동물	닭	오리	토끼	합계
동물 수(마리)	11	6	5	22

1 표를 보고 막대그래프로 나타낼 때, 가로에 동물의 종류를 나타내면 세로에는 [   ]을/를 나타내야 합니다.

2 세로 눈금 한 칸이 1마리를 나타내면 오리의 막대의 길이는 (11 , 6)칸으로 나타내야 합니다.

먼저 오리의 수를 알아보세요.

집중 연습

[01~03] 은주네 반 학생들이 좋아하는 과목을 조사하여 나타낸 막대그래프입니다. 물음에 답하시오.

좋아하는 과목별 학생 수

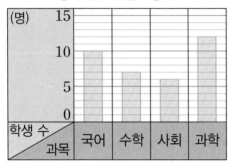

01 그래프에서 가로는 무엇을 나타냅니까?
( )

02 그래프에서 세로는 무엇을 나타냅니까?
( )

03 그래프에서 세로 눈금 한 칸은 몇 명을 나타냅니까?
( )

[04~06] 성수네 반 학생들이 좋아하는 과일을 조사하여 나타낸 막대그래프입니다. 물음에 답하시오.

좋아하는 과일별 학생 수

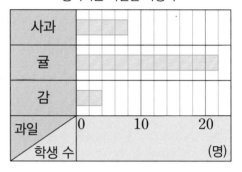

04 그래프에서 가로는 무엇을 나타냅니까?
( )

05 그래프에서 세로는 무엇을 나타냅니까?
( )

06 그래프에서 가로 눈금 한 칸은 몇 명을 나타냅니까?
( )

38 수학 전략

[07~10] 어느 동물원에 있는 동물 수를 조사하여 나타낸 막대그래프입니다. 물음에 답하시오.

동물 수

(마리)					
15					
10					
5					
0					
동물 수 \ 동물	사자	곰	코끼리	기린	양

07 동물원에 있는 기린은 몇 마리입니까?
( )

08 사자보다 더 많은 동물을 모두 쓰시오.
( )

09 가장 많은 동물은 무엇입니까?
( )

10 가장 적은 동물은 무엇입니까?
( )

[11~13] 윤정이네 반 학생들이 좋아하는 운동을 조사하여 나타낸 막대그래프입니다. 물음에 답하시오.

좋아하는 운동별 학생 수

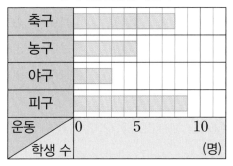

운동 \ 학생 수	0	5	10 (명)
축구			
농구			
야구			
피구			

11 축구를 좋아하는 학생은 몇 명입니까?
( )

12 농구를 좋아하는 학생은 야구를 좋아하는 학생보다 몇 명 더 많습니까?
( )

13 피구를 좋아하는 학생 수는 야구를 좋아하는 학생 수의 몇 배입니까?
( )

25 수의 배열에서 규칙 찾기

○ 수의 배열에서 규칙 찾기

예 2

10001	10102	10203	10304	10405	10506	예 1
20001	20102	20203	20304	20405	20506	
30001	30102	30203	30304	30405	30506	
40001	40102	40203	40304	40405	40506	
50001	50102	50203	50304	50405	50506	
60001	60102	60203	60304	60405	60506	

예 3

예 1   10001, 10102, 10203, 10304, 10405, 10506

➩ 10001부터 오른쪽으로 [❶   ]씩 커집니다.

예 2   60001, 50001, 40001, 30001, 20001, 10001

➩ 60001부터 위쪽으로 10000씩 작아집니다.

예 3   10001, 20102, 30203, 40304, 50405, 60506

➩ 10001부터 ↘ 방향으로 10101씩 [❷   ].

다양한 규칙을 찾을 수 있어요.

[답] ❶ 101 ❷ 커집니다

핵심 체크

4250	4350	4450	4550	4650	4750
5250	5350	5450	5550	5650	5750
6250	6350	6450	6550	6650	6750
7250	7350	7450	7550	7650	7750

1   가로(→)는 4250부터 시작하여 오른쪽으로 (10 , 100)씩 커집니다.

2   세로(↓)는 4250부터 시작하여 아래쪽으로 (1000 , 100)씩 커집니다.

26 도형의 배열에서 규칙 찾기

◉ 도형의 배열에서 규칙 찾기

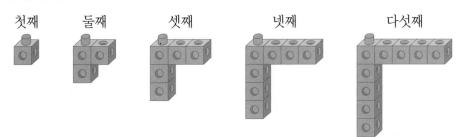

첫째　　둘째　　셋째　　넷째　　다섯째

- 모형의 수를 세어 규칙 찾기

순서	첫째	둘째	셋째	넷째	다섯째
모형의 수(개)	1	3	5	❶	9

+2　+2　+2　+2

⇨ 모형의 수가 1개에서 시작하여 2개씩 늘어나는 규칙입니다.

- 모양의 배열에서 규칙 찾기

⇨ 모형이 1개에서 시작하여 오른쪽과 아래쪽으로 각각 ❷ 개씩 늘어납니다.

[답] ❶ 7 ❷ 1

핵심체크

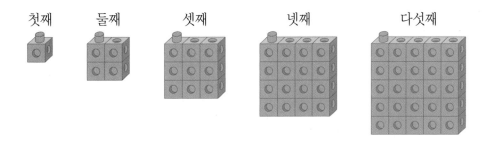

첫째　　둘째　　셋째　　넷째　　다섯째

1 모형의 수가 1개에서 시작하여 3개, 5개, ☐개, ☐개……씩 더 늘어납니다.

2 가로와 세로가 각각 ☐개씩 늘어나며 정사각형 모양이 됩니다.

도형의 배열에서 가로와 세로에 각각 몇 개씩 있는지 세어 보세요.

27 계산식에서 규칙 찾기

● 계산식에서 규칙 찾기

> **예** 덧셈식과 뺄셈식에서 규칙 찾기

100	+	500	=	600		303	−	202	=	101
200	+	400	=	600		313	−	212	=	101
300	+	300	=	600		323	−	222	=	101
400	+	200	=	600		333	−	232	=	101
500	+	100	=	❶		343	−	242	=	❷
100씩 커짐		100씩 작아짐		같습니다.		10씩 커짐		10씩 커짐		같습니다.

더해지는 수가 커지는 만큼 더하는 수가 작아지면 계산 결과는 같습니다. 같은 자리의 수가 똑같이 커지는 두 수의 차는 항상 일정합니다.

[답] ❶ 600 ❷ 101

핵심체크

㉠	㉡	㉢	㉣
125+203=328	105+203=308	348−213=135	368−233=135
125+213=338	115+213=328	338−213=125	358−223=135
125+223=348	125+223=348	328−213=115	348−213=135
125+233=358	135+233=368	318−213=105	338−203=135

1
> 십의 자리 수가 각각 1씩 커지는 두 수의 합은 20씩 커집니다.

⇨ 설명에 맞는 계산식은 (㉠ , ㉡)입니다.

각각의 계산식에서 규칙을 찾아보세요.

2
> 같은 자리의 수가 똑같이 작아지는 두 수의 차는 항상 일정합니다.

⇨ 설명에 맞는 계산식은 (㉢ , ㉣)입니다.

28 생활 속에서 규칙적인 계산식 찾기

○ 생활 속에서 규칙적인 계산식 찾기

㉠ 달력에서 규칙적인 계산식 찾기

달력의 수 배열에서 여러 가지 규칙적인 계산식을 찾을 수 있습니다.

일	월	화	수	목	금	토
					1	2
3	4	5	6	7	8	9
10	11	12	13	14	15	16
17	18	19	20	21	22	23
24	25	26	27	28	29	30

달력의 수는
→ 방향으로 1씩 커지고,
↓ 방향으로 7씩
커집니다.

가로 규칙	세로 규칙	▨ 규칙
$4+5+6=5×❶$	$5+12+19=12×3$	$4+12+20=12×3$
$11+12+13=12×3$	$6+13+20=13×3$	$5+13+21=13×❷$
$18+19+20=19×3$	$7+14+21=14×3$	$6+14+22=14×3$

참고 달력, 승강기 버튼, 영화관 좌석 번호 등 생활 속에서 규칙적인 계산식을 찾을 수 있습니다.

[답] ❶ 3 ❷ 3

핵심체크

1 왼쪽에서 오른쪽으로 수가 (1 , 6)씩 커집니다.

승강기 버튼에서
규칙을 찾아보세요.

2 위쪽에서 아래쪽으로 수가 6씩 (작아집니다 , 커집니다).

집중 연습

[01~04] 수 배열의 규칙에 따라 빈칸에 알맞은 수를 써넣으시오.

01
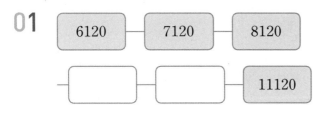

02
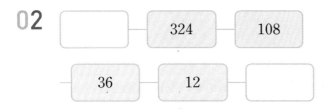

03
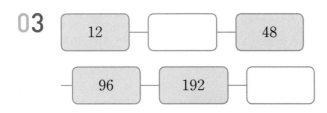

04
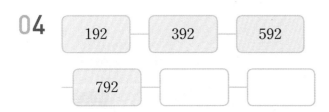

[05~07] 수 배열의 규칙에 따라 빈칸에 알맞은 수를 써넣으시오.

05

3012	3013	3014	3015
4012	4013		4015
5012			5015
6012	6013	6014	6015
7012	7013	7014	

06

5180	5280	5380	
4180		4380	4480
3180	3280		3480
2180	2280	2380	2480
	1280	1380	1480

07

20003	20104		20306
21003	21104	21205	
22003	22104	22205	22306
	23104		23306
24003	24104	24205	24306

[08~10] 수 배열표를 보고 □ 안에 알맞은 수를 써넣으시오.

1010	2010	3010	4010	5010
1210	2210	3210	4210	5210
1410	2410	3410	4410	5410
1610	2610	3610	4610	5610
1810	2810	3810	★	5810

08 세로(↓)에서 규칙을 찾아보면 1010부터 시작하여 아래쪽으로 [ ]씩 커집니다.

09 색칠된 칸은 5010부터 시작하여 ╱ 방향으로 [ ]씩 작아집니다.

10 ★에 알맞은 수는 [ ]입니다.

[11~13] 도형의 배열을 보고 규칙을 설명한 것입니다. □ 안에 알맞은 수를 써넣고 알맞은 말에 ○표 하시오.

11

첫째　둘째　셋째　넷째

⇨ 모형의 수가 [ ]개부터 시작하여 [ ]개씩 늘어나는 규칙입니다.

12
첫째　둘째　셋째　넷째

⇨ 바둑돌의 수가 [ ]개부터 시작하여 2개, [ ]개, [ ]개……씩 더 늘어나는 규칙입니다.

13
첫째　둘째　셋째　넷째　다섯째

⇨ 빨간색 사각형을 중심으로 (시계 , 시계 반대) 방향으로 돌리기 하며 사각형이 [ ]개씩 늘어나는 규칙입니다.

2쪽

1 (1) 100에 ○표 (2) 1에 ○표
2 10, 만에 ○표

3쪽

1 45386에 ○표
2 (1) 사만 구천팔십팔에 ○표 (2) 육, 칠백이십삼

4쪽

1 (1) 10만, 십만
(2) 1000만에 ○표, 천만에 ○표
2 백만, 5000000

5쪽

1 (1) 십억에 ○표 (2) 일조에 ○표
2 4852000000000에 ○표

6쪽

1 (1) 백만에 ○표 (2) 3에 ○표
2 100000

7쪽

1 높은에 ○표
2 (1) 105938000에 ○표
(2) 527400000000에 ○표

8쪽

01 오만 사천백삼십칠
02 사천육백오만 천육백오십
03 삼백칠십육억 이백오십삼만 사천이백오십육
04 칠조 천오백억 구천사백칠십삼만 구백삼
05 구십칠만 육천사백오십이
06 사백팔십칠만
07 일억 팔천칠백육만 삼천오백오
08 오십조 육천육백사십삼억 팔백구십만

9쪽

09 65921
10 72585479
11 206854000
12 40280000650000
13 838716
14 106540000
15 13226000000
16 6007008500001100

10쪽

17 8750만, 9750만
18 61242, 61442
19 2조 42억, 2조 52억
20 7500000, 8500000
21 460억, 500억
22 구천억, 일조
23 26억 600만,
27억 600만

11쪽

24 <
25 >
26 <
27 >
28 >
29 >
30 <
31 <

12쪽

1 큰에 ○표
2 1°

13쪽

1 중심에 ○표
2 ②

14쪽

1 예각에 ○표
2 둔각에 ○표

15쪽

1 덧셈에 ○표
2 (1) 130 (2) 50

16쪽

1 180
2 180°에 ○표

17쪽

1 180, 360　　　　2 360°에 ○표

18쪽

01 75°　　　　06 64°
02 130°　　　　07 71°
03 45°　　　　08 109°
04 90°　　　　09 116°
05 185°　　　　10 255°

19쪽

11 50°　　　　16 5°
12 45°　　　　17 75°
13 60°　　　　18 235°
14 20°　　　　19 28°
15 35°　　　　20 37°

20쪽

1 12000에 ○표　　　　2 (1) 4260 (2) 31620

21쪽

1 5800, 6235　　　　2 52983에 ○표

22쪽

1 같습니다에 ○표
2 (1) (위에서부터) 3, 60 / 3, 3
　(2) (위에서부터) 2 / 2, 17

23쪽

1 14에 ○표
2 (1) (위에서부터) 2 / 2, 11
　(2) (위에서부터) 5 / 5, 12

24쪽

1 (1) 6에 ○표 (2) 5에 ○표
2 (1) 9, 9 (2) 6, 14

25쪽

1 (1) (위에서부터) 12 / 12, 0
　(2) (위에서부터) 13 / 13, 2
2 30, 4

26쪽

01 24000　　　　05 9270
02 6000　　　　06 13248
03 3289　　　　07 35200
04 44462　　　　08 34013

27쪽

09 3　　　　13 2
10 7　　　　14 12
11 15　　　　15 24
12 5…12　　　　16 11…8

28쪽

17 56000　　　　21 4900
18 11088　　　　22 6384
19 30850　　　　23 16758
20 14652　　　　24 18901

29쪽

25 3　　　　29 31…7
26 6　　　　30 12…6
27 7…2　　　　31 32…3
28 37　　　　32 26…18

30쪽

1 위치에 ○표　　　　2 8

31쪽

1 왼쪽에 ○표　　　　2 아래쪽에 ○표

32쪽

1 오른쪽에 ○표   2 270

33쪽

1 나에 ○표   2 가에 ○표

34쪽

01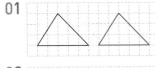

02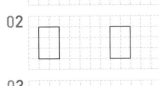

03

04

05

06

35쪽

07

08

09

10

11 (왼쪽에서부터)

12 (위쪽에서부터)

13 (왼쪽에서부터)

36쪽

1 막대그래프에 ○표   2 막대그래프에 ○표

37쪽

1 동물 수   2 6에 ○표

38쪽

01 과목   04 학생 수
02 학생 수   05 과일
03 1명   06 2명

39쪽

07 3마리   11 8명
08 곰, 양   12 2명
09 양   13 3배
10 기린

40쪽

1 100에 ○표   2 1000에 ○표

41쪽

1 7, 9   2 1

42쪽

1 ⓒ에 ○표   2 ⓔ에 ○표

43쪽

1 1에 ○표   2 작아집니다에 ○표

44쪽

01 9120, 10120
02 972, 4
03 24, 384
04 992, 1192
05 (위에서부터) 4014, 5013, 5014, 7015
06 (위에서부터) 5480, 4280, 3380, 1180
07 (위에서부터) 20205, 21306, 23003, 23205

45쪽

08 200   11 4, 4
09 800   12 1, 3, 4
10 4810   13 시계에 ○표, 1

수학 심화 문제 해결서

상위권 실력 완성

최고수준 수학

상위권 필수 교재

각종 경시 유형 문제와
완벽한 피드백 제공으로 실전에 강한
수학 상위권 실력 완성

심화 유형 집중 공략

대표 심화 유형 문제 및
쌍둥이 문제, 발전 문제 수록으로
심화 유형 집중 학습 가능

다양한 부가자료

유명강사의 명강의를 들을 수 있는
문제풀이 동영상 강의 및
나만의 오답노트 앱 제공

한 문제에 울고 웃는
상위권을 위한 수학교재
(초등 1~6학년 / 학기별)

핵심개념
유형연습
탄탄하게!

수학
전략

학교 시험, 걱정 없이 든든하게!

수학 단원평가

수행평가 완벽 대비

쪽지 시험, 단원평가, 서술형 평가 등
학교에서 시행하는 다양한 수행평가에
완벽 대비 가능한 최신 경향의 문제 수록

난이도별 문제 수록

A, B, C 세 단계 난이도의 단원평가로
나의 수준에 맞게 실력을 점검하고
부족한 부분을 빠르게 보충 가능

확실한 개념 정리

수학은 개념이 생명!
기본 개념 문제로 구성된 쪽지 시험과
단원평가 5회분으로 확실한 단원 마무리

다양해진 학교 시험,
한 권으로 끝내자!
(초등 1~6학년 / 학기별)

꿈을위한 동행

축구 선수, 래퍼, 선생님, 요리사, ...
배움을 통해 아이들은 꿈을 꿉니다.

학교에서 공부하고, 뛰어놀고 싶은 마음을
잠시 미뤄 둔 친구들이 있습니다.
어린이 병동에 입원해 있는 아이들.

이 아이들도 똑같이 공부하고
맘껏 꿈 꿀 수 있어야 합니다.
천재교육 학습봉사단은
직접 병원으로 찾아가
같이 공부하고 얘기를 나눕니다.

함께 하는 시간이
아이들이 꿈을 키우는 밑바탕이 되길 바라며
천재교육은 앞으로도
나눔을 실천하며 세상과 소통하겠습니다.

천재교육

초등생의 필수 학습!
탄탄하게 다져투자!

수학
전략

초등 **수학**

4·1

정답 및 풀이

천재교육

정답
및
풀이
비밀
치

1 주   2~9쪽

2 주   9~16쪽

3 주   17~26쪽

마무리   26~31쪽

초등 수학 **4·1**

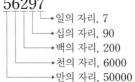

1주 04일

1-1 4515690000 (45억 1569만) /
　　사십오억 천오백육십구만
1-2 352470000000000 (352조 4700억) /
　　삼백오십이조 사천칠백억
2-1 10000　　　　　2-2 100억
3-1 <
3-2 (위에서부터) > / 9, 8
4-1 10280, 771 / 11051
4-2 9150, 366 / 9516
5-1 4, 120, 17　　　5-2 5, 250, 26
6-1
```
       1 3
   45) 5 8 7
       4 5
       1 3 7
       1 3 5
             2
```
6-2
```
       2 4
   27) 6 6 2
       5 4
       1 2 2
       1 0 8
         1 4
```

1-2 1조가 352개인 수는 352조, 1억이 4700개
인 수는 4700억이므로 352470000000000
또는 352조 4700억이라 쓰고 삼백오십이조
사천칠백억이라고 읽습니다.

2-2 백억의 자리 숫자가 1씩 커지고 있으므로
100억씩 뛰어 세었습니다.

3-2 자리 수가 다른 두 수의 크기 비교는 자리 수
가 많은 쪽이 더 큰 수입니다.
310450000 > 42370659
(9자리 수)　　(8자리 수)

4-2 52는 50과 2의 합이므로 183×52는
183×50과 183×2의 합과 같습니다.

5-2 50과 곱해서 곱이 276보다 크지 않으면서
276에 가장 가까운 수가 되는 곱셈식을 찾으
면 50×5＝250입니다.
⇨ 276÷50＝5…26

6-2 나머지가 나누는 수보다 크므로 몫을 1 크게
합니다.

1 1000억, 1조
2 50000, 6000, 200, 90, 7
3 (1) < (2) > (3) <
4 (위에서부터) 2 / 215, 2580
5 23, 5, 649　　　　6 ○, ○, ○

1 100억의 10배는 1000억, 1000억의 10배는
1조입니다.

2 56297
　　└→ 일의 자리, 7
　　└→ 십의 자리, 90
　　└→ 백의 자리, 200
　　└→ 천의 자리, 6000
　　└→ 만의 자리, 50000

3 (1) 56980 < 59763
　　　└─ 6<9 ─┘
(2) 13조 400억 > 9조 8700억
(3) 2673540 < 2675430
　　　└── 3<5 ──┘

4 215는 215×1의 결과가 아닌 215×10의
결과이고 계산의 편리함을 위해 0의 표시를
생략한 것입니다.

5 (나누는 수)×(몫)의 결과에 나머지를 더하면
나누어지는 수가 되는지 확인합니다.

6 몫의 십의 자리 숫자 4는 실제 40을 나타냅니다.

1주 02일

필수 예제 01 (1) 500000 (2) 50000 (3) ㉠

확인 1-1 ㉡   **확인 1-2** ㉠

필수 예제 02 (1) 100만 (2) 1774만

확인 2-1 1억 7056만

확인 2-2 30조 517억

필수 예제 03 (1) 30168, 30566 (2) 연아

확인 3-1 ㉡   **확인 3-2** ㉠

필수 예제 04 (1) 31일

              (2) $250 \times 31 = 7750$ / 7750 km

확인 4-1 $350 \times 14 = 4900$ / 4900 mL

확인 4-2 $460 \times 21 = 9660$ / 9660 g

확인 1-1 ㉠에서 숫자 3은 백만의 자리 숫자이므로 3000000을 나타냅니다.

㉡에서 숫자 3은 억의 자리 숫자이므로 300000000을 나타냅니다.

따라서 $3000000 < 300000000$이므로 숫자 3이 나타내는 값이 더 큰 수는 ㉡입니다.

확인 1-2 ㉠에서 숫자 6은 십만의 자리 숫자이므로 600000을 나타냅니다.

㉡에서 숫자 6은 백만의 자리 숫자이므로 6000000을 나타냅니다.

따라서 $600000 < 6000000$이므로 숫자 6이 나타내는 값이 더 작은 수는 ㉠입니다.

확인 2-1 천만의 자리 숫자가 1씩 커지므로 1000만씩 뛰어 세었습니다.

따라서 1000만씩 뛰어 세면 ㉠에 알맞은 수는 1억 7056만입니다.

확인 2-2 조의 자리 숫자가 1씩 커지므로 1조씩 뛰어 세었습니다.

따라서 28조 517억에서 1조씩 뛰어 세면 29조 517억, 30조 517억이므로 ㉠에 알맞은 수는 30조 517억입니다.

확인 3-1 ㉠ $624 \times 30 = 18720$

㉡ $459 \times 46 = 21114$

$18720 < 21114$이므로 곱이 더 큰 것은 ㉡입니다.

확인 3-2 ㉠ $870 \times 12 = 10440$

㉡ $623 \times 19 = 11837$

$10440 < 11837$이므로 곱이 더 작은 것은 ㉠입니다.

확인 4-1 일주일은 7일이므로 2주일은 $7 \times 2 = 14$(일)입니다.

따라서 지은이가 2주일 동안 마시는 우유는 모두 $350 \times 14 = 4900$ (mL)입니다.

확인 4-2 일주일은 7일이므로 3주일은 $7 \times 3 = 21$(일)입니다.

따라서 서준이 삼촌이 3주 동안 먹는 닭가슴살은 모두 $460 \times 21 = 9660$ (g)입니다.

1 8번   2 15

3 미국

4 300, 20, 300, 20, 6000

5 ㉢   6 3000원

1 구천이조 오천이백억 삼천팔십만 오백삼십

⇨ 9002조 5200억 3080만 530

⇨ 9002520030800530

따라서 0은 모두 8번 씁니다.

2 3468:5930:1000:0000

　　　조　　억　　만　　일

십조의 자리 숫자는 6이고 백억의 자리 숫자는 9이므로 두 수의 합은 6+9=15입니다.

3 미국: 삼억 삼천이백구십일만 오천칠십사

　　　⇨ 3억 3291만 5074

영국: 67886011 ⇨ 6788만 6011

⇨ 3억 3291만 5074>6788만 6011이므로 인구수가 더 많은 나라는 미국입니다.

4 302는 300에 가까우므로 300으로, 23은 20에 가까우므로 20으로 어림하면 계산 결과는 300×20=6000보다 클 것이라고 어림할 수 있습니다.

5 ㉠ 651÷92 ⇨ 몫: 한 자리 수
　　　65<92

㉡ 145÷23 ⇨ 몫: 한 자리 수
　　　14<23

㉢ 488÷37 ⇨ 몫: 두 자리 수
　　　48>37

㉣ 175÷32 ⇨ 몫: 한 자리 수
　　　17<32

(세 자리 수)÷(두 자리 수)에서 나누는 수에 10을 곱한 수가 나누어지는 수보다 작거나 같으면 몫은 두 자리 수입니다.

6 (지우개 20개의 값)=350×20=7000(원)

⇨ (지우개 20개를 사고 남은 돈)
　　=10000−7000=3000(원)

1주 03일

| 필수 체크 전략❶ | 20~23쪽 |

필수 예제 01 (1) 300004629 (2) ㉡

확인 1-1 ㉠

확인 1-2 ㉡

필수 예제 02 203467

확인 2-1 97641

확인 2-2 103569

필수 예제 03 (1) 5 / 3, 3 (2) ㉡

확인 3-1 ㉠

확인 3-2 가영

필수 예제 04 (1) 207, 25, 8, 7 (2) 7개

확인 4-1 387÷12=32…3 / 3명

확인 4-2 325÷33=9…28 / 9개

확인 1-1 ㉠ 오백이만 사천칠백

　　　⇨ 502만 4700

502만 4700<514만 3308이므로 더
　　└─ 0<1 ─┘
작은 수는 ㉠입니다.

확인 1-2 ㉠ 칠천삼십조 육천사백오억

　　　⇨ 7030조 6405억

㉡ 조가 7003개, 억이 6800개인 수

　　　⇨ 7003조 6800억

7030조 6405억>7003조 6800억이므로
　　　└─ 3>0 ─┘
더 작은 수는 ㉡입니다.

확인 2-1 수 카드의 크기를 비교하면

9>7>6>4>1입니다.

따라서 큰 수부터 높은 자리에 차례로 쓰면 가장 큰 다섯 자리 수는 97641입니다.

확인 2-2 수 카드의 크기를 비교하면
$0<1<3<5<6<9$입니다.
따라서 작은 수부터 높은 자리에 차례로
써야 하는데 0은 맨 앞에 올 수 없으므로
가장 작은 여섯 자리 수는 103569입니다.

확인 3-1 ㉠ $274 \div 45 = 6 \cdots 4$
㉡ $159 \div 26 = 6 \cdots 3$
나머지의 크기를 비교하면 $4 > 3$이므로
나머지가 더 큰 나눗셈식은 ㉠입니다.

확인 3-2 가영: $870 \div 14 = 62 \cdots 2$
세나: $583 \div 25 = 23 \cdots 8$
나머지의 크기를 비교하면 $2 < 8$이므로
나머지가 더 작은 나눗셈식을 가지고 있
는 사람은 가영입니다.

확인 4-1 (전체 학생 수)÷(한 모둠의 학생 수)
$= 387 \div 12 = 32 \cdots 3$
한 모둠에 12명씩 32모둠을 만들고, 남
는 학생은 3명입니다.

확인 4-2 $1\,m = 100\,cm$이므로
$3\,m\ 25\,cm = 325\,cm$입니다.
$325 \div 33 = 9 \cdots 28$
상자를 9개까지 묶을 수 있고, 28 cm가
남습니다.

필수 체크 전략 ② 24~25쪽

1 34억 4012만, 34억 4022만
2 32540원
3 6543210 / 육백오십사만 삼천이백십
4 14일   5 12805
6 19

---

1 십만의 자리 숫자가 1씩 커지므로 10만씩 뛰
어 센 것입니다.
따라서 빈 곳에 알맞은 수는 34억 4012만,
34억 4022만입니다.

2 10000원짜리 지폐가 3장이므로 30000원,
1000원짜리 지폐가 2장이므로 2000원,
100원짜리 동전이 5개이므로 500원,
10원짜리 동전이 4개이므로 40원입니다.
따라서 돈은 모두 32540원입니다.

3 $6>5>4>3>2>1>0$이므로 만들 수 있는
가장 큰 수는 6543210이고, 이 수를 읽으면
육백오십사만 삼천이백십입니다.

참고
가장 큰 수를 만들려면 큰 수부터 높은 자리에
차례로 씁니다.
가장 작은 수를 만들려면 작은 수부터 높은 자
리에 차례로 씁니다.
단, 0은 가장 높은 자리에 올 수 없습니다.

4 (동화책의 전체 쪽수)÷(하루에 읽으려고 하는
쪽수)$= 190 \div 14 = 13 \cdots 8$
하루에 14쪽씩 읽으면 13일 동안 읽고, 8쪽
이 남습니다. 남는 8쪽을 읽으려면 하루가 더
필요하므로 동화책을 모두 읽으려면 적어도
$13 + 1 = 14$(일)이 걸립니다.

5 $9>8>5>3>1$이므로 만들 수 있는 가장
큰 세 자리 수는 985이고, 가장 작은 두 자리
수는 13입니다.
⇨ $985 \times 13 = 12805$

6 나머지는 나누는 수인 20보다 항상 작아야
합니다. 따라서 나머지가 될 수 있는 수는 0
부터 19까지의 수이므로 이 중에서 가장 큰
수는 19입니다.

1_주 04_일

교과서 대표 전략❶   26~29쪽

대표 **예제 01** 민아

대표 **예제 02** ㉡

대표 **예제 03** (   )(○)

대표 **예제 04** 309억, 310억

대표 **예제 05** 100000

대표 **예제 06** >

대표 **예제 07** 화성

대표 **예제 08** 76543210

대표 **예제 09** 2715, 27150

대표 **예제 10** ㉠

대표 **예제 11** 7680개

대표 **예제 12** 서진

대표 **예제 13** ㉡

대표 **예제 14** 8상자

대표 **예제 15** 567

대표 **예제 16** 26, 8

대표 **예제 01** 20568 ⇨ 2만 568
             ⇨ 이만 오백육십팔
바르게 읽은 사람은 민아입니다.

대표 **예제 02** ㉠ 2<u>4</u>0670000
       ⇨ 천만의 자리 숫자, 40000000
      ㉡ <u>4</u>58097630
       ⇨ 억의 자리 숫자, 400000000
   ⇨ 숫자 4가 나타내는 값이 더 큰 것은
      ㉡입니다.

대표 **예제 03** 65<u>2</u>34089 ⇨ 백만의 자리 숫자: 5
46<u>9</u>32000 ⇨ 백만의 자리 숫자: 6
   ⇨ 백만의 자리 숫자가 6인 수는
      46932000입니다.

대표 **예제 04** 억의 자리 숫자가 1씩 커지도록 수를 뛰어 세기 합니다.

대표 **예제 05** 십만의 자리 숫자가 1씩 커지므로 100000씩 뛰어 센 것입니다.

대표 **예제 06** <u>5228531</u> > <u>586257</u>
    (7자리 수)   (6자리 수)

대표 **예제 07** 칠억 칠천팔백삼십사만
      ⇨ 7억 7834만
      ⇨ 778340000
따라서 778340000 > 227940000
이므로 태양에서 더 가까운 행성은
화성입니다.

대표 **예제 08** 가장 큰 수를 만들려면 가장 큰 수부터 높은 자리에 차례로 놓습니다.
      ⇨ 가장 큰 수: 76543210

대표 **예제 09** 곱하는 수 5를 50으로 10배 하였으므로 543×50은 543×5의 곱 뒤에 0을 1개 붙입니다.

대표 **예제 10** ㉠ 900×40=36000
      ㉡ 542×60=32520
      ⇨ <u>36000</u> > <u>32520</u>
          ㉠   ㉡

대표 **예제 11** 9월 한 달은 30일까지 있습니다.
(9월 한 달 동안 마시는 우유의 개수)
=256×30=7680(개)

대표 **예제 12** (서진이가 읽을 책의 쪽수)
=105×14=1470(쪽)
(민호가 읽을 책의 쪽수)
=70×20=1400(쪽)
⇨ 1470 > 1400이므로 서진이가 책을 더 많이 읽을 것입니다.

대표 예제 13 ㉠ $80 \div 16 = 5$

㉡ $319 \div 32 = 9 \cdots 31$

몫의 크기를 비교하면 $5 < 9$이므로 몫이 더 큰 것은 ㉡입니다.

대표 예제 14 (전체 연필 수)

$\div$(한 상자에 담는 연필 수)

$= 189 \div 22 = 8 \cdots 13$

연필을 22자루씩 8상자에 담고, 13자루가 남으므로 8상자까지 팔 수 있습니다.

대표 예제 15 $\Box \div 43 = 13 \cdots 8$

$\Rightarrow 43 \times 13 = 559$, $559 + 8 = \Box$,

$\Box = 567$

대표 예제 16 $346 > 259 > 44 > 13$이므로 가장 큰 수는 346이고, 가장 작은 수는 13입니다.

$\Rightarrow 346 \div 13 = 26 \cdots 8$

몫 나머지

교과서 대표 전략❷ 　　　　30~31쪽

1 4번 　　　　　　　　 2 3

3 ㉠

4 1023456789 /

　십억 이천삼백사십오만 육천칠백팔십구

5 750원 　　　　　　　 6 22판

7 16032 g 　　　　　　 8 2, 61

1 억이 125개이면 125억, 만이 78개이면 78만, 일이 240개이면 240이므로 125억 78만 240입니다.

수로 나타내면 12500780240이므로 0을 모두 4번 쓰게 됩니다.

2 5976024860000000

　　조　　억　　만　　일

십조의 자리 숫자는 7, 십억의 자리 숫자는 4입니다. ⇨ 두 수의 차: $7 - 4 = 3$

3 ㉠ 이천삼십조 육천삼백구억

　⇨ 2030조 6309억

㉡ 조가 2004개, 억이 3800개인 수

　⇨ 2004조 3800억

2030조 6309억 > 2004조 3800억이므로 더 큰 수는 ㉠입니다.

참고

㉠ 이천삼십조 육천삼백구억

　⇨ 2030630900000000

㉡ 조가 2004개, 억이 3800개인 수

　⇨ 2004380000000000

4 0부터 9까지의 자연수를 한 번씩만 사용하여 가장 작은 10자리 수를 만들 때 0은 맨 앞에 쓸 수 없으므로 1023456789입니다.

1023456789 ⇨ 10억 2345만 6789이므로 십억 이천삼백사십오만 육천칠백팔십구라고 읽습니다.

5 (색 도화지 17장의 값) $= 250 \times 17 = 4250$(원)

⇨ (색 도화지를 사고 남은 돈)

$= 5000 - 4250 = 750$(원)

6 (전체 달걀 수)$\div$(한 판에 담을 수 있는 달걀 수)

$= 653 \div 30 = 21 \cdots 23$

달걀을 30개씩 21판에 담고, 23개가 남습니다. 남은 23개도 담아야 하므로 필요한 달걀판은 적어도 $21 + 1 = 22$(판)입니다.

7 (수학책 24권의 무게) $= 375 \times 24 = 9000$ (g)

(익힘책 24권의 무게) $= 293 \times 24 = 7032$ (g)

⇨ $9000 + 7032 = 16032$ (g)

8 2<3<5<7<8이므로 만들 수 있는 가장 작은 세 자리 수는 235이고, 가장 큰 두 자리 수는 87입니다.

⇨ 235÷87=2…61
　　　　　　↑　↑
　　　　　　몫　나머지

---

01 63429

02 26087=20000+6000+80+7

03 495조 320억, 505조 320억

04 가 마트　　　　　**05** 745321

06 58720　　　　　**07** 12775분

08 ⓒ

09 255÷30=8…15 / 8일, 15쪽

10 28

---

01 10000이 6개이면 60000, 1000이 3개이면 3000, 100이 4개이면 400, 10이 2개이면 20, 1이 9개이면 9이므로 63429입니다.

03 십조의 자리 숫자가 1씩 커지도록 뛰어 세기 합니다.

04 210650>197340
　　　└─ 2>1 ─┘

⇨ 가 마트에서 더 비싸게 팔고 있습니다.

05 만의 자리에 먼저 4를 놓으면 □4□□□□이고, 남은 자리 중 가장 높은 자리부터 큰 수를 차례로 놓으면 745321입니다.

06 734×80=58720

07 35×365=365×35=12775(분)

08 ⊙ 76÷19=4

ⓒ 156÷22=7…2

⇨ 4<7이므로 몫이 더 큰 것은 ⓒ입니다.

09 255÷30=8…15이므로 30쪽씩 8일 동안 읽고, 마지막 날에는 15쪽을 읽어야 합니다.

10 나머지는 나누는 수인 29보다 작아야 하므로 ●가 될 수 있는 수 중에서 가장 큰 수는 28입니다.

---

1 텔레비전　　　　　**2** 14모둠

1
　　　　　┌─2<7─┐
　1200000<1290000<1780000
　　　└─0<9─┘

⇨ 가장 싼 전자 제품은 텔레비전입니다.

2 168÷12=14(모둠)

---

1 540183　　　　　**2** 시드니

3 (화살표 순서대로) 146만 2000, 148만 2000, 158만 2000

4 876532, 235678

5 예서　　　　　　**6** 백발백중

7 54, 5　　　　　**8** 28

---

1 십의 자리 숫자는 만의 자리 숫자인 4의 2배이므로 4×2=8입니다.

가장 높은 자리는 십만의 자리이고 500000을 나타내므로 가장 높은 자리의 숫자는 5입니다.

따라서 비밀번호는 540183입니다.

2 시드니: 833만 m ⇨ 8330000 m

8330000>8193000>7503000이므로 비행 거리가 가장 긴 도시는 시드니입니다.

3 136만 2000에서 10만을 뛰어 세면 146만 2000입니다.
146만 2000에서 2만을 뛰어 세면 148만 2000입니다.
148만 2000에서 10만을 뛰어 세면 158만 2000입니다.

4 五 ⇨ 5, 三 ⇨ 3, 六 ⇨ 6, 二 ⇨ 2, 八 ⇨ 8, 七 ⇨ 7
8>7>6>5>3>2이므로 만들 수 있는 가장 큰 수는 876532이고, 가장 작은 수는 235678입니다.

5 • 은우: $24 \times 30 = 720$, $720 \div 20 = 36$
• 지은: $440 \div 11 = 40$, $40 \div 20 = 2$
• 예서: $132 \div 11 = 12$, $12 \times 30 = 360$
따라서 계산 결과가 가장 큰 예서가 이깁니다.

6 $700 \times \square 0 = 42000 \Rightarrow 7 \times \square = 42$, $\square = 6$
$300 \times \square 0 = 24000 \Rightarrow 3 \times \square = 24$, $\square = 8$
$500 \times \square 0 = 25000 \Rightarrow 5 \times \square = 25$, $\square = 5$
$600 \times \square 0 = 18000 \Rightarrow 6 \times \square = 18$, $\square = 3$
⇨ 8>6>5>3이므로 '백발백중'입니다.

7 주사위의 눈의 수는 5, 3, 2, 1, 6입니다.
6>5>3>2>1이므로 만들 수 있는 가장 큰 세 자리 수는 653이고, 가장 작은 두 자리 수는 12입니다.
⇨ $653 \div 12 = 54 \cdots 5$

8 $336 \div$ 가 = 나
$336 \div 24 = 14$에서 14는 20보다 크지 않으므로 가를 $24 - 12 = 12$로 바꾸어 다시 계산합니다.
$336 \div 12 = 28$이므로 28은 20보다 큽니다.
따라서 28을 출력합니다.

2주 **4**일

개념 **돌파 전략❶** 개념 기초 확인 **43, 45**쪽

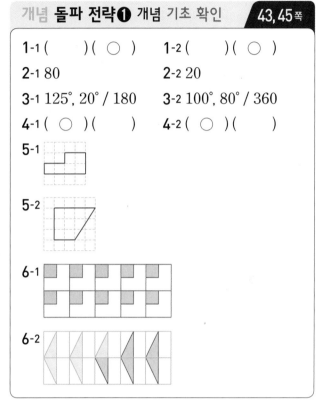

1-1 ( )(◯)	1-2 ( )(◯)
2-1 80	2-2 20
3-1 125°, 20° / 180	3-2 100°, 80° / 360
4-1 (◯)( )	4-2 (◯)( )

5-1

5-2

6-1

6-2

1-2 각도가 0°보다 크고 직각보다 작은 각에 ◯표 합니다.

2-2 $60 - 40 = 20 \Rightarrow 60° - 40° = 20°$

3-2 (사각형의 네 각의 크기의 합)
$= 70° + 110° + 100° + 80° = 360°$

4-2 모양 조각을 위쪽으로 뒤집으면 도형의 위쪽과 아래쪽이 서로 바뀝니다.

5-2 도형을 시계 반대 방향으로 180°만큼 돌리면 위쪽이 아래쪽으로, 왼쪽이 오른쪽으로 이동합니다.

6-2 주어진 모양을 아래쪽으로 뒤집으면 위쪽과 아래쪽이 서로 바뀝니다.

개념 돌파 전략 ❷ 46~47쪽

1 (둔)(예)   2 170°, 100°

3 95

4

5
, / 같습니다에 ○표

6 90°에 ○표, 밀어서에 ○표

1 시계의 긴바늘과 짧은바늘이 이루는 작은 쪽의 각이 직각보다 크고 180°보다 작으면 둔각이고 0°보다 크고 90°보다 작으면 예각입니다.

둔각   예각

2 합: 135°+35°=170°
차: 135°−35°=100°

3 사각형의 네 각의 크기의 합은 360°입니다.
110°+80°+75°+□°=360°,
□°=360°−110°−80°−75°, □°=95°

4 한 변을 기준으로 하여 오른쪽으로 8칸 밀었을 때의 모양을 그립니다.

5 도형을 시계 방향으로 180°만큼 돌린 도형과 시계 반대 방향으로 180°만큼 돌린 도형은 서로 같습니다.

6 주어진 모양을 시계 방향으로 90°만큼 돌리는 것을 반복해서 모양을 만들고 그 모양을 오른쪽으로 밀어서 만든 무늬입니다.

2주 02일

필수 체크 전략 ❶ 48~51쪽

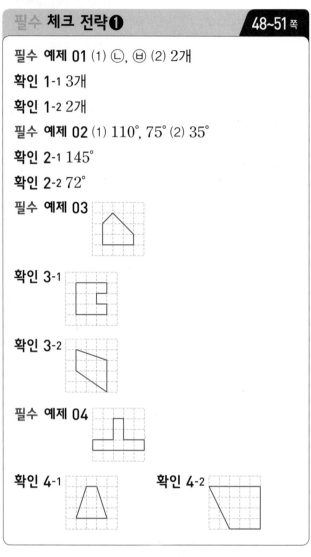

필수 예제 01 (1) ⓒ, ⓑ (2) 2개

확인 1-1 3개

확인 1-2 2개

필수 예제 02 (1) 110°, 75° (2) 35°

확인 2-1 145°

확인 2-2 72°

필수 예제 03

확인 3-1

확인 3-2

필수 예제 04

확인 4-1   확인 4-2

확인 1-1 예각은 각도가 0°보다 크고 90°보다 작으므로 가, 라, 마로 모두 3개입니다.

확인 1-2 둔각은 각도가 90°보다 크고 180°보다 작으므로 나, 마로 모두 2개입니다.

확인 2-1 각도의 크기를 비교하면
105°>95°>40°이므로 가장 큰 각도는 105°이고, 가장 작은 각도는 40°입니다.
⇨ 각도의 합: 105°+40°=145°

확인 2-2 각도의 크기를 비교하면
$142°>89°>70°$이므로 가장 큰 각도는
$142°$이고, 가장 작은 각도는 $70°$입니다.
⇨ 각도의 차: $142°-70°=72°$

확인 3-1 처음 도형은 움직인 도형을 시계 반대
방향으로 $180°$만큼 돌린 도형과 같습니다.
움직인 도형의 왼쪽이 오른쪽으로, 위쪽
이 아래쪽으로 이동한 모양을 그립니다.

확인 3-2 처음 도형은 움직인 도형을 시계 방향으로
$270°$만큼 돌린 도형과 같습니다.
움직인 도형의 위쪽이 왼쪽으로 이동한
모양을 그립니다.

확인 4-1 오른쪽으로 2번 뒤집은 도형은 처음 도
형과 같으므로 오른쪽으로 4번 뒤집은
도형도 처음 도형과 같습니다.

확인 4-2 위쪽으로 4번 뒤집은 도형은 처음 도형과
같으므로 위쪽으로 5번 뒤집은 도형은 위
쪽으로 1번 뒤집은 도형과 같습니다.

1 ㉠ $50°+60°=110°$
㉡ $135°-20°=115°$
㉢ $100°-15°=85°$
⇨ $115°>110°>85°$

2 직선이 이루는 각도는 $180°$이고 각 ㄱㅇㄴ의
크기는 $90°$이므로
(각 ㄴㅇㄷ)$=180°-90°-40°=50°$입니다.

3
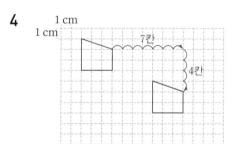

작은 각 3개로 이루어진 둔각:
②+③+④, ③+④+⑤ ⇨ 2개
작은 각 4개로 이루어진 둔각:
①+②+③+④, ②+③+④+⑤ ⇨ 2개
⇨ (크고 작은 둔각의 수)$=2+2=4$(개)

4
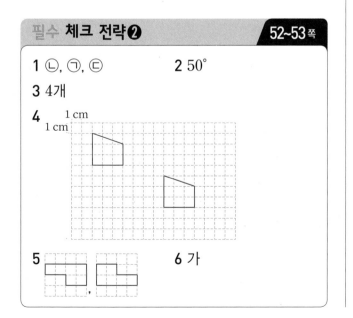

도형의 한 꼭짓점을 기준으로 하여 주어진 도
형을 오른쪽으로 모눈 7칸만큼 이동하고, 아래
쪽으로 모눈 4칸만큼 이동하여 그립니다.

5 도형의 왼쪽과 오른쪽이 서로 바뀐 모양을 그
리고 그 모양의 왼쪽과 오른쪽, 위쪽과 아래
쪽이 모두 바뀐 모양을 그립니다.

6 다 도형을 시계 반대 방향으로 $180°$만큼 돌린
도형을 찾으면 가 도형입니다.

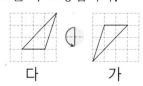

다　　　가

필수 체크 전략 ❷　　52~53쪽

1 ㉡, ㉠, ㉢　　　**2** $50°$

3 4개

4
1 cm
1 cm

5 ，　　　**6** 가

필수 체크 전략 ❶ 54~57쪽

필수 예제 01 (1) 50° (2) 95°

확인 1-1 160°

확인 1-2 125°

필수 예제 02 (1) 85° (2) 95°

확인 2-1 85°

확인 2-2 120°

필수 예제 03 (1) 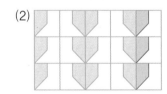 (2)

확인 3-1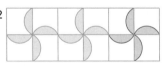

확인 3-2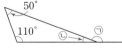

필수 예제 04 (1) ⑩ 주어진 모양을 오른쪽으로 뒤집기 하는 것을 반복해서 모양을 만들고 그 모양을 아래쪽으로 밀어서 만든 무늬입니다.

(2)

확인 4-1

확인 4-2

확인 1-1

삼각형의 세 각의 크기의 합은 180°이므로
ⓛ=180°−50°−110°=20°입니다.
직선이 이루는 각도는 180°이므로
ⓣ=180°−20°=160°입니다.

확인 1-2

삼각형의 세 각의 크기의 합은 180°이므로
ⓛ=180°−65°−60°=55입니다.
직선이 이루는 각도는 180°이므로
ⓣ=180°−55°=125°입니다.

확인 2-1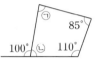

직선이 이루는 각도는 180°이므로
ⓛ=180°−100°=80°입니다.
사각형의 네 각의 크기의 합은 360°이므로
ⓣ=360°−80°−110°−85°=85°입니다.

확인 2-2

직선이 이루는 각도는 180°이므로
ⓛ=180°−120°=60°입니다.
사각형의 네 각의 크기의 합은 360°이므로
ⓣ=360°−90°−90°−60°=120°입니다.

확인 3-1 위쪽으로 뒤집은 모양은 다음과 같습니다.

ㅇ➔ㅇ, ㅠ➔ㅛ, ㄹ➔ㄷ, ㅐ➔ㅐ

확인 3-2 아래쪽으로 뒤집었을 때의 모양은 다음과 같습니다.

ㅎ➔ㅎ, ㅁ➔ㅁ, ㅍ➔ㅍ, ㅂ➔ㅂ

확인 4-1 주어진 모양의 오른쪽에 시계 방향으로 90°만큼 돌리는 것을 반복해서 모양을 만들고 그 모양을 아래쪽으로 밀어서 만든 무늬입니다.

확인 4-2 주어진 모양을 시계 방향으로 90°만큼 돌리는 것을 반복해서 모양을 만들고 그 모양을 오른쪽으로 밀어서 만든 무늬입니다.

필수 체크 전략❷ 58~59쪽

1 45°	2 50°
3 540°	4 ㉠
5 33	6 ㉡

1 180°－45°－90°＝45°이므로 ㉡＝45°입니다.
㉠＋㉡＝90°, ㉠＋45°＝90°, ㉠＝45°

2 삼각형의 세 각의 크기의 합은 180°이므로
(각 ㄱㄴㄷ)＝180°－50°－35°＝95°입니다.
직선이 이루는 각도는 180°이므로
㉠＝180°－35°－95°＝50°입니다.

3
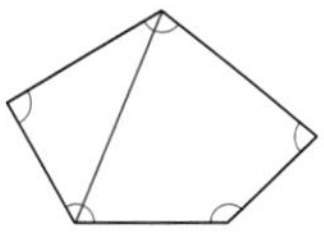

주어진 도형은 삼각형 1개와 사각형 1개로 나눌 수 있습니다.
따라서 5개의 각의 크기의 합은
180°＋360°＝540°입니다.

4 ㉡ 와 같이 돌렸을 때 같은 모양은 와 같이 돌린 모양입니다.
㉢ 와 같이 돌렸을 때 같은 모양은 와 같이 돌린 모양입니다.

5
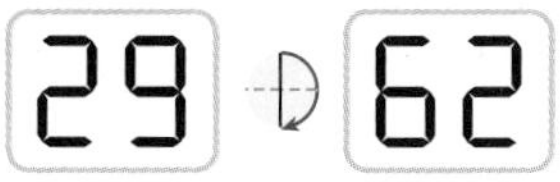

카드를 시계 방향으로 180°만큼 돌렸을 때 만들어지는 수는 62입니다.
⇨ 62－29＝33

6 ㉠ 주어진 모양을 뒤집기와 밀기를 이용하여 만든 무늬입니다.
㉢ 주어진 모양을 뒤집기를 이용하여 만든 무늬입니다.

2주 04일

교과서 대표 전략❶ 60~63쪽

대표 예제 01 ㉠

대표 예제 02 ①

대표 예제 03 85

대표 예제 04 ㉢, ㉣ / ㉠, ㉡, ㉥

대표 예제 05 140°

대표 예제 06 75°

대표 예제 07 70°

대표 예제 08 180°

대표 예제 09
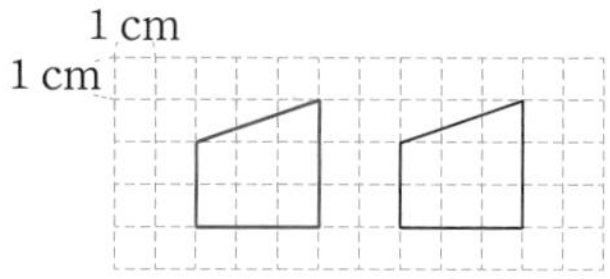

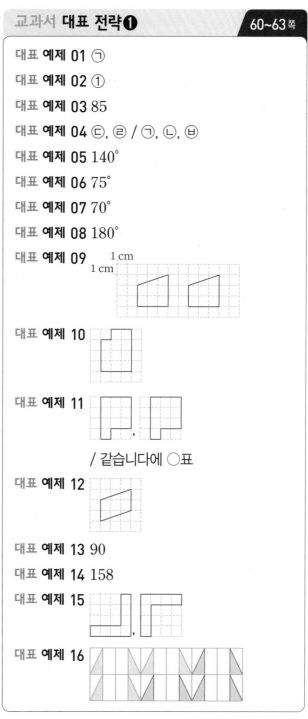

대표 예제 10
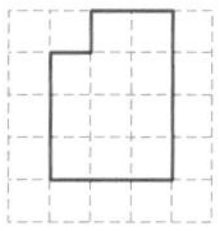

대표 예제 11
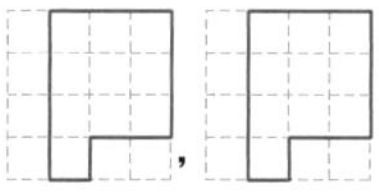
/ 같습니다에 ○표

대표 예제 12
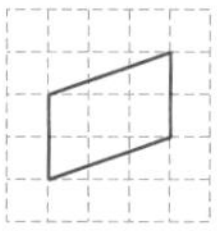

대표 예제 13 90

대표 예제 14 158

대표 예제 15
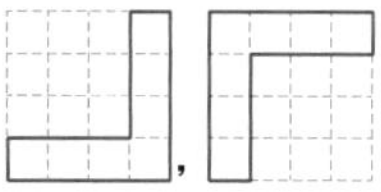

대표 예제 16
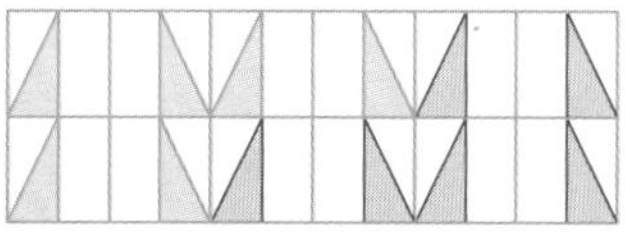

대표 예제 01 ㉠ 100°－30°＝70°
㉡ 45°＋20°＝65°
따라서 70°＞65°이므로 각도가 더 큰 것은 ㉠입니다.

정답 및 풀이

대표 예제 02 점 ㄱ과 ①: 둔각
점 ㄱ과 ②: 직각
점 ㄱ과 ③ 또는 ④: 예각

대표 예제 03 $75°+\square°=160°$, $\square°=160°-75°$,
$\square°=85°$

대표 예제 04 예각은 각도가 $0°$보다 크고 $90°$보다 작으므로 ㉢, ㉣이고, 둔각은 각도가 $90°$보다 크고 $180°$보다 작으므로 ㉠, ㉡, ㉂입니다.

대표 예제 05 삼각형의 세 각의 크기의 합은 $180°$이므로 ㉠$+$㉡$+40°=180°$입니다.
㉠$+$㉡$=180°-40°=140°$입니다.

대표 예제 06 사각형의 네 각의 크기의 합은 $360°$이므로
㉠$=360°-130°-60°-95°=75°$입니다.

대표 예제 07 직선이 이루는 각도는 $180°$이므로 ㉡$=180°-120°=60°$입니다.
삼각형의 세 각의 크기의 합은 $180°$이므로
㉠$=180°-50°-60°=70°$입니다.

대표 예제 08 사각형의 네 각의 크기의 합은 $360°$이므로
$80°+$㉠$+$㉡$+100°=360°$입니다.
㉠$+$㉡$=360°-80°-100°=180°$입니다.

대표 예제 09 한 변을 기준으로 왼쪽으로 모눈 5칸을 이동한 모양을 그립니다.

대표 예제 10 도형을 시계 반대 방향으로 $360°$만큼 돌린 도형은 처음 도형과 같습니다.

대표 예제 11 도형을 왼쪽으로 뒤집은 도형과 오른쪽으로 뒤집은 도형은 서로 같습니다.

대표 예제 12 시계 반대 방향으로 $90°$만큼 돌리면 위쪽이 왼쪽으로 이동합니다.

대표 예제 13 도형의 왼쪽이 위쪽으로 이동했으므로 시계 방향으로 $90°$만큼 돌린 도형입니다.

대표 예제 14 아래쪽으로 뒤집었을 때 만들어지는 수는 158입니다.

대표 예제 15 도형을 오른쪽으로 뒤집으면 왼쪽과 오른쪽이 서로 바뀝니다. 뒤집은 도형을 시계 방향으로 $180°$만큼 돌리면 위쪽이 아래쪽으로, 오른쪽이 왼쪽으로 이동합니다.

대표 예제 16 주어진 모양을 오른쪽으로 뒤집어서 모양을 만들고 그 모양을 아래쪽으로 밀어서 무늬를 만들었습니다.

교과서 대표 전략 ❷　　64~65쪽

1 $35°$　　2 $30°$
3 135　　4 4개
5 왼쪽, 4　　6 $180°$
7 124　　8

1 직선이 이루는 각도는 180°이므로
ⓒ＝180°－125°＝55°입니다.
직각은 90°이므로
㉠＝180°－55°－90°＝35°입니다.

2 시계에는 수가 12개 있습니다. 시곗바늘이 한 바퀴 돌면 각의 크기는 360°이고 360°를 12로 나누면 30°이므로 시계의 긴바늘과 짧은바늘이 이루는 작은 쪽의 각의 크기는 30°입니다.

3 □°＝90°＋45°＝135°

4
 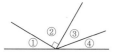

작은 각 2개로 이루어진 둔각:
①＋②, ②＋③ ⇨ 2개
작은 각 3개로 이루어진 둔각:
①＋②＋③, ②＋③＋④ ⇨ 2개
따라서 크고 작은 둔각은 모두 2＋2＝4(개)입니다.

5 모눈종이 한 칸이 1 cm를 나타내므로 왼쪽으로 4 cm만큼 밀어야 합니다.

6 도형의 위쪽이 아래쪽으로 이동했고, 왼쪽이 오른쪽으로 이동했으므로 시계 반대 방향으로 180°만큼 돌린 것입니다.

7
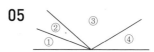

처음 수는 65이고 카드를 시계 방향으로 180°만큼 돌렸을 때 만들어지는 수는 59입니다.
⇨ 65＋59＝124

8 ◤ 모양을 시계 방향으로 90°만큼 돌리는 것을 반복해서 모양을 만들고 그 모양을 오른쪽과 아래쪽으로 밀어서 무늬를 만든 것입니다.

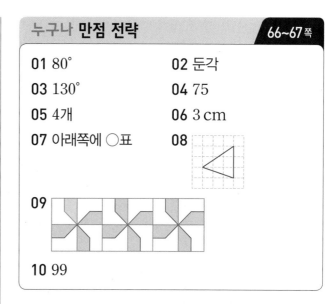

01 80° **02** 둔각
03 130° **04** 75
05 4개 **06** 3 cm
07 아래쪽에 ○표 **08**
09
10 99

01 각 ㄹㄴㄷ은 각의 한 변이 안쪽 눈금 0에 맞추어져 있으므로 안쪽 눈금을 읽으면 80입니다.

02 각도가 직각보다 크고 180°보다 작으므로 둔각입니다.

03 삼각형의 세 각의 크기의 합은 180°이므로
㉠＋ⓒ＋50°＝180°입니다.
㉠＋ⓒ＝180°－50°＝130°

04 사각형의 네 각의 크기의 합은 360°이므로
□°＝360°－90°－110°－85°＝75°입니다.

05

작은 각 1개로 이루어진 예각:
①, ②, ④ ⇨ 3개
작은 각 2개로 이루어진 예각: ①＋② ⇨ 1개
⇨ (크고 작은 예각의 수)＝3＋1＝4(개)

06 ㉯ 도형은 ㉮ 도형을 아래쪽으로 모눈 3칸만큼 밀어서 이동한 것이므로 3 cm 밀어서 이동한 것입니다.

07 도형의 위쪽과 아래쪽이 서로 바뀌었으므로 아래쪽(위쪽)으로 뒤집은 것입니다.

08 도형을 시계 반대 방향으로 90°만큼 돌리면 도형의 위쪽이 왼쪽으로, 왼쪽이 아래쪽으로 이동합니다.

10

시계 방향으로 180°만큼 돌리면 18이 됩니다.
⇨ $81+18=99$

---

1 100°, 30°   **2** 180°

2 블록을 시계 방향으로 180°만큼 돌리면 빈 곳에 블록을 넣을 수 있습니다.

---

1 가, 45°   **2** 2개, 3개
3 ㉠ 65° ㉡ 35° ㉢ 85°   **4** 30°
5

6

/ 10시

7 (위에서부터)

8 나

1 가 케이크 조각은 360°를 4조각으로 나눈 것 중의 하나이므로 각도는 $360°÷4=90°$입니다.
나 케이크 조각은 360°를 8조각으로 나눈 것 중의 하나이므로 각도는 $360°÷8=45°$입니다.
따라서 가 케이크 조각의 각도가 $90°-45°=45°$ 더 큽니다.

2 예각은 각도가 0°보다 크고 직각(90°)보다 작은 각이고, 둔각은 각도가 직각(90°)보다 크고 180°보다 작은 각입니다.

3

• $60°+55°+㉠=180°$, $115°+㉠=180°$,
 $㉠=180°-115°=65°$
• $65°+80°+㉡=180°$, $145°+㉡=180°$,
 $㉡=180°-145°=35°$
• $60°+㉢+35°=180°$, $㉢+95°=180°$,
 $㉢=180°-95°=85°$

4 ㉠은 직각을 똑같이 셋으로 나눈 것 중의 하나이므로 $㉠=90°÷3=30°$입니다.

5 • 도장을 찍은 왼쪽은 도장에 새겨져 있는 모양을 왼쪽 또는 오른쪽으로 뒤집은 모양이 찍힙니다.
• 연습장의 오른쪽에는 도장을 찍어서 왼쪽에 생긴 모양을 왼쪽 또는 오른쪽으로 뒤집은 모양이 찍힙니다.

6 거울에 비친 모습은 왼쪽과 오른쪽이 서로 바뀐 모습이므로 시계를 왼쪽 또는 오른쪽으로 뒤집어서 시곗바늘을 그리면 10시입니다.

7 시계 방향으로 90°만큼 돌리기 한 규칙입니다.

8 나 조각을 시계 방향 또는 시계 반대 방향으로 180°만큼 돌리면 빈 곳에 들어갈 수 있습니다.

1-1 체육　　　　　　1-2 소설책

2-1 　　　　　　종류별 나무 수

2-2 　　　　좋아하는 과일별 학생 수

3-1 100에 ○표

3-2 100에 ○표

4-1 1

4-2 1

5-1 20

5-2 11

1-2 가장 적은 학생들이 좋아하는 책의 종류는 막대의 길이가 가장 짧은 소설책입니다.

2-2 세로 눈금 한 칸을 1명으로 하는 막대그래프로 나타냅니다.

3-2 220, 320, 420이므로 220부터 아래쪽으로 100씩 커집니다.

4-2 첫째: 3개, 둘째: 5개, 셋째: 7개, 넷째: 9개로 모형의 개수가 왼쪽과 위쪽으로 각각 1개씩 늘어납니다.

5-2 660부터 110씩 작아지는 수를 10으로 나누면 몫은 11씩 작아집니다.

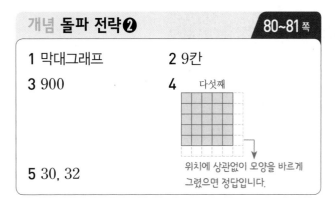

1 막대그래프　　　　　2 9칸

3 900　　　　　　　　4 다섯째

위치에 상관없이 모양을 바르게 그렸으면 정답입니다.

5 30, 32

1 막대그래프는 항목별 크기를 한눈에 비교하기 편리합니다.

참고

표	전체 합계를 알기 쉽습니다.
막대그래프	자료의 크기를 한눈에 쉽게 비교할 수 있습니다.

2 세로 눈금 한 칸이 1명을 나타내면 라면을 좋아하는 학생은 9명이므로 막대 9칸으로 나타내야 합니다.

3 2315, 3215, 4115, 5015이므로 ╱ 방향으로 900씩 커지는 규칙입니다.

4 　　첫째　　　둘째　　　　셋째　　　　　넷째

(1×1)　　(2×2)　　(3×3)　　(4×4)

도형의 배열에서 찾을 수 있는 규칙은 가로와 세로가 각각 1개씩 더 늘어나서 이루어진 정사각형 모양입니다.
따라서 다섯째에는 가로 5개, 세로 5개로 이루어진 정사각형 모양을 그립니다.

5 ╲ 방향의 두 수의 합과 ╱ 방향의 두 수의 합은 서로 같습니다.

$$14+28=16+26$$
$$16+30=18+28$$
$$18+32=20+\boxed{30}$$
$$20+34=22+\boxed{32}$$

필수 체크 전략 ❶ 82~85쪽

필수 예제 01 (1) 가 마을 (2) 30명

확인 1-1 16명 **확인 1-2** 20상자

필수 예제 02 10칸

확인 2-1 15, 21, 12, 9, 57

확인 2-2 좋아하는 한국 음식별 학생 수

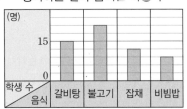

필수 예제 03 1 / 같은 수에 ○표

확인 3-1 2 / 일의 자리에 ○표

확인 3-2 4 / 일의 자리에 ○표

필수 예제 04 다섯째 / 4

확인 4-1 9개

확인 4-2 다섯째

확인 1-1 막대의 길이가 길수록 좋아하는 색깔별 학생 수가 많습니다.

세로 눈금 한 칸은 2명을 나타내고 가장 많은 학생들이 좋아하는 색깔은 막대의 길이가 가장 긴 보라색으로 16명입니다.

확인 1-2 가로 눈금 한 칸은 4상자를 나타내고 포도 생산량이 가장 적은 마을은 막대의 길이가 가장 짧은 하늘 마을로 20상자입니다.

확인 2-1 (합계)=15+21+12+9=57(명)

확인 2-2 세로 눈금 5칸은 15명을 나타내므로 세로 눈금 한 칸은 3명을 나타냅니다.

갈비탕: 15명 ⇨ 5칸

불고기: 21명 ⇨ 7칸

잡채: 12명 ⇨ 4칸

비빔밥: 9명 ⇨ 3칸

확인 3-1 두 수의 뺄셈의 결과에서 일의 자리 숫자를 쓰는 규칙입니다.

235－23=212 ⇨ 2

확인 3-2 두 수의 곱셈의 결과에서 일의 자리 숫자를 쓰는 규칙입니다.

508×18=9144 ⇨ 4

확인 4-1 주황색 모양의 규칙은 오른쪽과 위쪽으로 각각 1개씩 늘어납니다.

첫째: 1개, 둘째: 3개, 셋째: 5개, 넷째: 7개 이므로 다섯째에 알맞은 도형의 주황색 사각형은 7+2=9(개)입니다.

확인 4-2

첫째 둘째 셋째 넷째

- 주황색 사각형의 규칙:
  넷째 도형에서 오른쪽과 위쪽으로 각각 1개씩 늘어납니다.

- 연두색 사각형의 규칙:
  가로와 세로가 각각 4개인 정사각형 모양이 됩니다.

사각형 수	첫째	둘째	셋째	넷째
주황색 모양의 수(개)	1	3	5	7
연두색 모양의 수(개)	0	1	4	9

1 다 마을

2

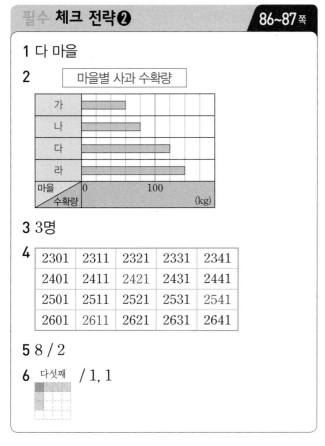

3 3명

4

2301	2311	2321	2331	2341
2401	2411	2421	2431	2441
2501	2511	2521	2531	2541
2601	2611	2621	2631	2641

5 8 / 2

6 / 1, 1

---

1 세로 눈금 5칸이 100 kg을 나타내므로 세로 눈금 한 칸은 100÷5=20 (kg)을 나타냅니다.
가 마을의 사과 수확량은 60 kg이므로
60×2=120 (kg)을 나타내는 마을을 찾으면
다 마을입니다.

> **다른 풀이**
> 가 마을의 세로 눈금은 3칸이므로 세로 눈금의 칸 수가 2배인 3×2=6(칸)인 마을을 찾으면
> 다 마을입니다.

2 막대의 길이가 짧을수록 사과 수확량이 적습니다. 사과 수확량이 적은 마을부터 차례대로 쓰면 가 마을, 나 마을, 다 마을, 라 마을입니다.

> **다른 풀이**
> 가 마을: 60 kg, 나 마을: 80 kg,
> 다 마을: 120 kg, 라 마을: 140 kg입니다.
> 60<80<120<140이므로 사과 수확량이 적은 마을부터 차례대로 쓰면 가 마을, 나 마을, 다 마을, 라 마을입니다.

3 미국에 가 보고 싶은 학생은 세로 눈금 5칸이고 15명을 나타내므로 세로 눈금 한 칸은
15÷5=3(명)을 나타냅니다.

가 보고 싶은 나라별 학생 수

4 가로(→)는 10씩 커지고, 세로(↓)는 100씩 커지는 규칙입니다.

2301	2311	2321	2331	2341
2401	2411	①	2431	2441
2501	2511	2521	2531	②
2601	③	2621	2631	2641

① 2321보다 100만큼 큰 수이므로 2421입니다.

② 2441보다 100만큼 큰 수이므로 2541입니다.

③ 2601보다 10만큼 큰 수이므로 2611입니다.

5 오른쪽 수는 왼쪽 수를 2로 나눈 몫입니다.
128÷2=64, 64÷2=32, 32÷2=16
⇨ 16÷2=8

6

분홍색 도형을 기준으로 연두색 도형이 오른쪽, 아래쪽으로 1개씩 번갈아 가면서 늘어나는 규칙입니다.
따라서 다섯째에 알맞은 도형은 넷째 도형의 오른쪽에 연두색 도형이 1개 늘어난 모양으로 그려야 합니다.

다섯째

필수 체크 전략❶ 88-91쪽

필수 예제 01 (1) 240개, 180개, 120개

(2) 540개

확인 1-1 19명

확인 1-2 84명

필수 예제 02 (1) 20권

(2)

1학기 동안 읽은 책 수

확인 2-1

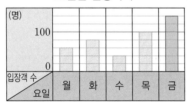

요일별 입장객 수

확인 2-2

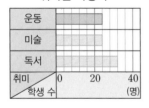

취미별 학생 수

필수 예제 03 (1) 1, 1 (2) 570−110=460

확인 3-1 639−217=422

/ 커지는에 ◯표, 일정합니다에 ◯표

확인 3-2 531+431=962 / 1, 200

필수 예제 04 (1) 합에 ◯표 (2) 15, 8

확인 4-1 3, 3

확인 4-2 311, 313, 313

확인 1-1 가로 눈금 한 칸은 1명을 나타내므로
1반: 6명, 2반: 5명, 3반: 8명입니다.
⇨ (합계)=6+5+8=19(명)

확인 1-2 세로 눈금 한 칸은 4명을 나타내므로
음악: 24명, 미술: 20명, 영어: 24명,
바둑: 16명입니다.
⇨ (조사한 학생 수)
=24+20+24+16=84(명)

확인 2-1 세로 눈금 5칸은 100명을 나타내므로
세로 눈금 한 칸은 20명을 나타냅니다.
화요일의 입장객은 80명이므로 금요일의
입장객은 80+60=140(명)입니다.
따라서 금요일은 세로 눈금 140÷20=7(칸)
인 막대로 나타내야 합니다.

확인 2-2 가로 눈금 한 칸은 4명을 나타냅니다.
취미가 독서인 학생은 32명이므로 취미가
운동인 학생은 32−8=24(명)입니다.
따라서 운동은 가로 눈금 24÷4=6(칸)
으로 나타냅니다.

확인 3-1 빼지는 수와 빼는 수의 일의 자리 수가
1씩 커지므로 계산 결과는 항상 일정합
니다.

$$636-214=422$$
$$637-215=422$$
$$638-216=422$$

1씩 커집니다. 일정합니다.

확인 3-2 백의 자리 수가 각각 1씩 커지는 두 수
는 100씩 커지므로 두 수의 합은 200씩
커집니다.

$$231+131=362$$
$$331+231=562$$
$$431+331=762$$

100씩 커집니다. 200씩 커집니다.

확인 4-1 가로로 나란히 있는 세 수의 합은 가운데
수의 3배와 같습니다.

확인 4-2 ↘ 방향의 두 수의 합과 ↗ 방향의 두 수
의 합은 서로 같습니다.

필수 체크 전략❷   92~93쪽

1 2   **2** 야채 김밥

3
요일별 줄넘기 기록

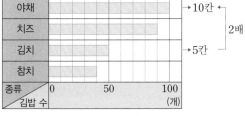

4 $10+80-60=30$

5 $64÷4÷4÷4=1$ **6** 3 / 12, 3

1
지난달에 팔린 종류별 김밥 수

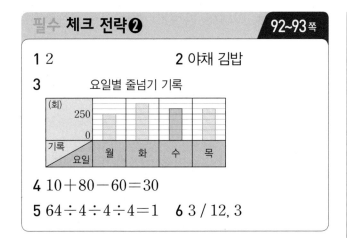

가로 눈금 한 칸은 10개를 나타내므로 팔린 야채 김밥의 수는 100개, 김치 김밥의 수는 50개입니다. 따라서 팔린 야채 김밥의 수는 김치 김밥의 수의 $100÷50=2$(배)입니다.

2 지난달에는 야채 김밥이 가장 많이 팔렸으므로 이번 달에도 야채 김밥을 가장 많이 준비하는 것이 좋겠습니다.

3 세로 눈금 한 칸은 50회를 나타냅니다.
월요일: 250회, 화요일: 350회,
목요일: 300회이므로 수요일의 기록은
$1200-250-350-300=300$(회)입니다.
수요일은 세로 눈금 $300÷50=6$(칸)으로 나타냅니다.

4
첫째: $10+40-20=30$
둘째: $10+50-30=30$
셋째: $10+60-40=30$
넷째: $\underset{\substack{↑\\10으로\\일정합니다.}}{10}+\underset{\substack{↑\\10씩\\커집니다.}}{70}-\underset{\substack{↑\\30으로\\일정합니다.}}{50}=30$

---

5 나누는 수 4가 1개 더 늘어나고 계산 결과가 1이 되는 계산식을 만듭니다.

6 세로로 연결된 세 수의 합은 가운데 수의 3배입니다.

3주4일

교과서 대표 전략❶   94~97쪽

대표 예제 01 10명

대표 예제 02
좋아하는 동물별 학생 수

대표 예제 03 42장   **대표 예제 04** 10장

대표 예제 05 6, 5 /

혈액형별 학생 수

대표 예제 06 ㉢

대표 예제 07 백합, 장미, 튤립

대표 예제 08 ㉠ 가장 많은 꽃은 백합입니다. /
㉠ 장미는 120송이입니다.

대표 예제 09 바뀌고에 ○표, 그대로입니다에 ○표

대표 예제 10 486 / 3   **대표 예제 11** 1

대표 예제 12
다섯째
→ 위치에 상관없이 모양을 바르게 그렸으면 정답입니다.

대표 예제 13 11111   **대표 예제 14** 899991

대표 예제 15 3, 319   **대표 예제 16** 1, 3, 3

정답 및 풀이

대표 예제 01 조사한 전체 학생 수가 30명이므로 펭귄을 좋아하는 학생은
$30-5-7-8=10$(명)입니다.

대표 예제 02 곰은 5칸, 토끼는 7칸, 펭귄은 10칸, 돌고래는 8칸인 막대를 그립니다.

대표 예제 03

민주네 모둠이 모은 붙임 딱지 수

민주				
서은				
수진				
이름 \ 붙임 딱지 수	0	10	20 (장)	

가로 눈금 한 칸은 2장을 나타내므로
민주: 20장, 서은: 10장, 수진: 12장입니다.
⇨ (합계)$=20+10+12=42$(장)

대표 예제 04 붙임 딱지를 가장 많이 모은 사람은 막대의 길이가 가장 긴 민주로 20장이고, 가장 적게 모은 사람은 서은이로 10장입니다.
⇨ $20-10=10$(장)

대표 예제 05 세로 눈금 한 칸은 1명을 나타내므로 A형은 6명, O형은 5명입니다.
표에서 B형은 4명이므로 막대 4칸, AB형은 5명이므로 막대 5칸으로 나타냅니다.

참고
혈액형별 학생 수의 합계가 20명인지 확인합니다.
(합계)$=6+4+5+5=20$(명)

대표 예제 06 ㉠ 가장 많은 학생들의 혈액형은 막대의 길이가 가장 긴 A형입니다.
㉢ 학생 수가 AB형보다 더 많은 혈액형은 A형입니다.

대표 예제 07 막대의 길이가 긴 꽃부터 차례대로 쓰면 백합, 장미, 튤립입니다.

참고
장미는 120송이, 튤립은 80송이, 백합은 140송이입니다.

대표 예제 08 막대의 길이를 이용하여 항목별 수를 비교할 수 있습니다.
㉠ • 가장 적은 꽃은 튤립입니다.
  • 장미와 튤립 수의 차는
    $120-80=40$(송이)입니다.
  • 백합은 튤립보다
    $140-80=60$(송이) 더 많습니다.

대표 예제 09 • 세로($\downarrow$)에서 알파벳은 A, B, C, D로 바뀌고 숫자는 같습니다.
• 가로($\rightarrow$)에서 알파벳은 그대로이고 숫자는 1, 2, 3, 4, 5, 6으로 1씩 커집니다.

대표 예제 10 2부터 시작하여 3씩 곱한 수를 오른쪽에 쓰는 규칙입니다.
$$2 - 6 - 18 - 54 - 162 - \boxed{486}$$
$$\times 3 \quad \times 3 \quad \times 3 \quad \times 3 \quad \times 3$$

대표 예제 11

순서	첫째	둘째	셋째	넷째
방향	가로	세로	가로	세로
사각형의 수(개)	2	3	4	5

⇨ 사각형의 수가 1개씩 늘어나고 가로, 세로 모양이 번갈아 가며 나오는 규칙입니다.

대표 예제 12 첫째는 가로, 둘째는 세로, 셋째는 가로, 넷째는 세로이므로 다섯째는 가로 모양이고 사각형의 수는 6개입니다.

대표 예제 13 곱하는 수와 계산 결과에 1이 1개씩 늘어나고 있습니다.

첫째: $10 \times 1 = 10$

둘째: $10 \times 11 = 110$

셋째: $10 \times 111 = 1110$

넷째: $10 \times 1111 = 11110$

다섯째: $10 \times \underline{11111} = \underline{111110}$

↑ 1이 1개씩 늘어납니다. ↑

대표 예제 14 81, 891, 8991, 89991……과 같이 나누어지는 수의 가장 높은 자리 수는 8, 일의 자리 수는 1이고 가운데 수는 9가 1개씩 늘어납니다.

나누는 수는 9이고 몫은 9, 99, 999, 9999……와 같이 9가 1개씩 늘어납니다.

첫째: $81 \div 9 = 9$

둘째: $891 \div 9 = 99$

셋째: $8991 \div 9 = 999$

넷째: $89991 \div 9 = 9999$

다섯째: $\underline{899991} \div 9 = \underline{99999}$

↑ 9가 1개씩 늘어납니다. ↑

대표 예제 15 가로로 나란히 있는 세 수의 합은 가운데 수의 3배와 같습니다.

$311 + 313 + 315 = 313 \times 3$

$313 + 315 + 317 = 315 \times 3$

$315 + 317 + 319 = 317 \times 3$

대표 예제 16 수 배열에서 찾을 수 있는 규칙적인 계산식은

(아래의 수)−(위의 수)=3입니다.

$4 - 1 = 3$

$5 - 2 = 3$

$6 - 3 = 3$

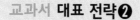

교과서 대표 전략 ❷ 98-99쪽

1 장소

2

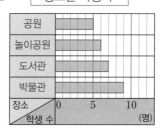

장소별 학생 수

3 27명

4 6칸

5 247

6

다섯째

5

7 $12345 + 54321 = 66666$

8 3, 21, 13

---

1 가로에 학생 수를 나타낸다면 세로에는 장소를 나타내야 합니다.

2 공원: 5명, 도서관: 7명, 놀이공원: 6명, 박물관: 9명

$5 < 6 < 7 < 9$이므로 학생 수가 적은 장소부터 차례대로 쓰면 공원, 놀이공원, 도서관, 박물관입니다.

가로 눈금 한 칸은 1명을 나타내고 위에서부터 차례대로 공원, 놀이공원, 도서관, 박물관을 나타냅니다.

3 세로 눈금 한 칸은 3명을 나타내므로 3반의 학생 수는 24명입니다.

⇨ (4반의 학생 수)

$= 24 + 3 = 27$(명)

4 조사한 수 중에서 가장 큰 수는 24이므로 세로 눈금은 적어도 24명까지 나타낼 수 있어야 합니다.

따라서 세로 눈금은 적어도 $24 \div 4 = 6$(칸) 있어야 합니다.

5 207부터 시작하여 오른쪽으로 10씩 커지므로 ■$= 237 + 10 = 247$입니다.

다른 풀이

47부터 시작하여 아래쪽으로 100씩 커지므로 ■$= 147 + 100 = 247$로 구할 수 있습니다.

6

순서	첫째	둘째	셋째	넷째	다섯째
늘어나는 사각형의 방향	·	위쪽	오른쪽	위쪽	오른쪽
사각형의 수(개)	1	2	3	4	5

사각형의 개수가 1, 2, 3, 4……로 1개씩 늘어나고 첫째 도형을 중심으로 위쪽과 오른쪽으로 번갈아 가며 늘어납니다.

따라서 다섯째에 알맞은 도형은 넷째 도형에서 오른쪽에 사각형이 1개 더 늘어난 모양입니다.

7 다섯째에 알맞은 계산식은 넷째의 계산식에서 5가 늘어난 두 수를 더하고, 계산 결과는 1만큼 더 큰 수가 한 자리 늘어납니다.

⇨ $12345 + 54321 = \underline{66666}$

8 세로(↑)의 수 배열에서 규칙적인 계산식을 찾으면 나란히 한 줄로 놓인 세 수의 합은 가운데 있는 수의 3배와 같습니다.

가운데 수

$1 + ⑩ + 19 = ⑩ \times 3$
$2 + ⑪ + 20 = ⑪ \times 3$
$3 + ⑫ + 21 = ⑫ \times 3$
$4 + ⑬ + 22 = ⑬ \times 3$

누구나 만점 전략 　　100~101 쪽

01 역사관

02 5칸

03

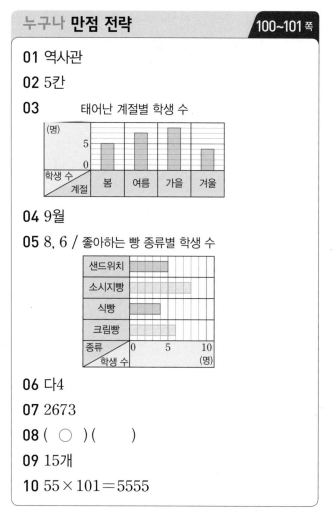

태어난 계절별 학생 수

04 9월

05 8, 6 / 좋아하는 빵 종류별 학생 수

06 다4

07 2673

08 (○) (　)

09 15개

10 $55 \times 101 = 5555$

01 막대의 길이는 보고 싶은 전시관별 학생 수이므로 가장 많은 학생들이 보고 싶은 전시관은 막대의 길이가 가장 긴 역사관입니다.

02 봄에 태어난 학생은 5명이므로 5칸으로 나타내야 합니다.

03 세로 눈금 한 칸은 1명을 나타냅니다.
봄: 5명 ⇨ 5칸, 여름: 7명 ⇨ 7칸,
가을: 8명 ⇨ 8칸, 겨울: 4명 ⇨ 4칸

04 막대의 길이가 6월보다 짧은 달은 9월입니다.

05 막대그래프의 가로 눈금 한 칸은 1명을 나타냅니다.
소시지빵: 8칸 ⇨ 8명, 크림빵: 6칸 ⇨ 6명

06 세로로 보면 가4에서 글자는 가, 나, 다, 라 순서대로 바뀌고 수는 그대로 4입니다.
⇨ ■에 알맞은 좌석 번호는 다4입니다.

다른 풀이

가로로 보면 다1에서 글자는 다로 그대로이고 숫자는 1, 2, 3, 4……로 1씩 커집니다.
⇨ ■에 알맞은 좌석 번호는 다4입니다.

07 11부터 시작하여 3씩 곱한 수가 오른쪽에 있습니다. ⇨ ㉠$=891 \times 3 = 2673$

08 • 왼쪽 식: 백의 자리 수가 똑같이 커지는 두 수의 차가 242로 일정합니다.

• 오른쪽 식: 백의 자리 수가 1씩 커지는 수에서 120을 빼면 차가 100씩 커집니다.

09 첫째: $3 \times 1 = 3$(개)
둘째: $3 \times 2 = 6$(개)
셋째: $3 \times 3 = 9$(개)
넷째: $3 \times 4 = 12$(개)
바둑돌이 3개씩 늘어나는 규칙입니다.
따라서 다섯째에 놓일 바둑돌은 $3 \times 5 = 15$(개)입니다.

10 11, 22, 33, 44와 같이 11씩 커지는 수에 101을 곱하면 계산 결과는 1111씩 커집니다.

창의·융합·코딩 전략 ❶ | 102~103쪽

| 1 줄넘기 | 2 239 |

1 막대의 길이가 가장 긴 운동을 찾으면 줄넘기입니다.

2 책 번호가 가로(→)로 1씩 커지는 규칙이 있으므로 238 다음의 수는 239입니다.

창의·융합·코딩 전략 ❷ | 104~107쪽

1 5, 8, 4, 17
2 나 도시, 라 도시
3 4회
4 서은
5 341
6
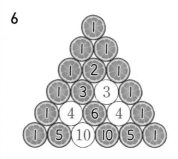
7 다섯째
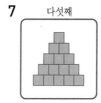
8 $1+3+5+7+9+11=36$

1 세로 눈금 한 칸은 1개를 나타내므로 금메달은 5개, 은메달은 8개, 동메달은 4개입니다.
⇨ (합계)$=5+8+4=17$(개)

2 가 도시보다 초미세 먼지 나쁨 일수가 많은 곳은 가 도시보다 막대의 길이가 더 긴 나 도시와 라 도시입니다.

참고

도시별 초미세 먼지 나쁨 일수는 다음과 같습니다.
가 도시: 18일, 나 도시: 30일,
다 도시: 15일, 라 도시: 21일,
마 도시: 12일

3 과녁을 가장 많이 맞힌 때는 3회로 횟수가 10회이고, 가장 적게 맞힌 때는 4회로 횟수가 6회입니다.
⇨ $10-6=4$(회)

4 남은 색종이 수가 적을수록 사용한 색종이 수가 많습니다.

남은 색종이 수가 가장 적은 학생은 막대의 길이가 가장 짧은 서은이므로 서은이가 사용한 색종이 수가 가장 많습니다.

다른 풀이

각 학생이 색종이를 20장씩 가지고 있었으므로 20장에서 남은 색종이 수를 빼어 사용한 색종이 수를 구할 수 있습니다.

이름	준우	민아	서은	연제
남은 색종이 수(장)	6	8	5	7
사용한 색종이 수(장)	14	12	15	13

따라서 색종이를 가장 많이 사용한 학생은 서은입니다.

5 세로(↓) 방향으로 백의 자리 수가 1씩 커지므로 100씩 커지는 규칙입니다. 빈 곳의 보관함 번호는 241보다 100 큰 수인 341입니다.

6

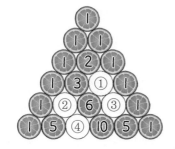

① 2+1=3   ② 1+3=4
③ 3+1=4   ④ 4+6=10

7 다섯째에 알맞은 모양은 넷째 모양에서 아래쪽에 블록 5개가 더 늘어나게 그립니다.

8 다섯째에 알맞은 덧셈식은 넷째의 덧셈식에서 9보다 2 큰 수인 11까지 더하고,
계산 결과는 더하는 수의 개수가 6개이므로 6×6=36입니다.

신유형·신경향·서술형 전략 110-115쪽

1 ❶ 876521 ❷ 876530 ❸ 수진

2 ❶   ❷   ❸ 예각, 둔각

3 ❶ 225 g ❷ 225 g ❸ 25 g

4 ❶ 285 ❷ 216 ❸ 501

5 ❶ 28가구 ❷ 36가구 ❸ 상추

6 ❶ 15, 17 ❷ 8, 17, 9 ❸ 2, 25

1 ❶ 가장 큰 수를 만들려면 큰 수부터 높은 자리에 차례로 놓습니다.
⇨ 8>7>6>5>2>1이므로 876521입니다.

❷ 가장 큰 수를 만들려면 큰 수부터 높은 자리에 차례로 놓습니다.
⇨ 8>7>6>5>3>0이므로 876530입니다.

❸ 876521<876530이므로 더 큰 수를 만든 사람은 수진입니다.

2 ❶ 서울역에서 1시에 출발하였으므로 짧은바늘이 1을 가리키고, 긴바늘이 12를 가리키도록 그립니다.

❷ 서울역에서 출발하여 3시간 후 광주역에 도착했으므로 광주역에 도착한 시각은 1+3=4(시)입니다.
시계의 짧은바늘이 4를 가리키고, 긴바늘이 12를 가리키도록 그립니다.

❸ 1시는 시곗바늘이 이루는 작은 쪽의 각의 크기가 0°보다 크고 90°보다 작으므로 예각입니다.
4시는 시곗바늘이 이루는 작은 쪽의 각의 크기가 90°보다 크고 180°보다 작으므로 둔각입니다.

3 ❶ $45 \times 5 = 225$ (g)

❷ 양팔저울이 어느 쪽으로도 기울지 않았으므로 추 9개의 무게는 45 g짜리 물건 5개의 무게와 같습니다.

⇨ (추 9개의 무게)=225 g

❸ (추 1개의 무게)=$225 \div 9 = 25$ (g)

4 ❶ 거울에 비친 모습은 오른쪽으로 뒤집은 모양과 같으므로 도훈이가 들고 있는 수 카드에 적힌 수는 285입니다.

❷ 거울에 비친 모습은 오른쪽으로 뒤집은 모양과 같으므로 예나가 들고 있는 수 카드에 적힌 수는 216입니다.

❸ $285 + 216 = 501$

5 ❶ 가로 눈금 5칸은 20가구를 나타내므로 가로 눈금 한 칸은 4가구를 나타냅니다. 따라서 토마토를 기르는 가구는 28가구입니다.

❷ 상추를 기르는 가구 수는 토마토를 기르는 가구 수보다 8가구 더 많으므로 $28 + 8 = 36$(가구)입니다.

❸ 고추: 32가구, 상추: 36가구, 오이: 16가구, 토마토: 28가구이므로 가장 많은 가구가 기르는 채소는 상추입니다.

6 ❶ ＼ 방향의 두 수의 합과 ／ 방향의 두 수의 합은 서로 같습니다.

$6+14=7+13$, $7+15=8+14$,

$8+16=9+15$, $9+17=10+16$

❷ ＼ 방향으로 연결된 두 수의 차는 서로 같습니다.

$22-14=14-6$, $23-15=15-7$,

$24-16=16-8$, $25-17=17-9$

❸ ＼ 방향으로 연결된 세 수 중에서 처음 수와 마지막 수의 합은 가운데 수의 2배입니다.

$6+22=14\times2$, $7+23=15\times2$,

$8+24=16\times2$, $9+25=17\times2$

학력진단 전략 1회　　116-119쪽

01 10

02 $30589 = 30000 + 500 + 80 + 9$

03 (1) 29120 (2) 20202

04 32746

05
$$14 \overline{)\,87\,} \;\; \begin{array}{r} 6 \\ \hline 87 \\ 84 \\ \hline 3 \end{array}$$

06 7　　**07** 300000

08 ㉡　　**09** ㉢

10 10만　　**11** <

12 32, 40　　**13** ㉠

14 ㉢　　**15** 11610 m

16 13번　　**17** 415

18 5115번　　**19** 5개

20 547310

01 10000원은 1000원짜리 지폐 10장이므로 10000은 1000이 10개인 수입니다.

02 30589를 각 자리의 숫자가 나타내는 값의 합으로 나타낼 수 있습니다.

3은 만의 자리 숫자이므로 30000, 5는 백의 자리 숫자이므로 500, 8은 십의 자리 숫자이므로 80, 9는 일의 자리 숫자이므로 9를 나타냅니다.

⇨ $30589 = 30000 + 500 + 80 + 9$

참고

자리의 숫자가 0이면 나타내는 값도 0입니다.

03 (1)
$$\begin{array}{r} 416 \\ \times\;\;70 \\ \hline 29120 \end{array}$$

(2)
$$\begin{array}{r} 546 \\ \times\;\;37 \\ \hline 3822 \\ 1638\;\; \\ \hline 20202 \end{array}$$

04 10000이 3개이면 30000, 1000이 2개이면 2000, 100이 7개이면 700, 10이 4개이면 40, 1이 6개이면 6이므로 32746입니다.

05 87에서 98을 뺄 수 없으므로 몫을 1 작게 하여 계산해야 합니다. 이때 나머지는 나누는 수보다 작아야 합니다.

06 $315 > 45 \Rightarrow 315 \div 45 = 7$

07 53|0982
└→십만의 자리 숫자
3은 십만의 자리 숫자이므로 나타내는 값은 300000입니다.

08 각 수의 백만의 자리 숫자를 알아봅니다.
㉠ 56|28407 ⇨ 5
㉡ 62|10348 ⇨ 6
㉢ 35|27641 ⇨ 3

09 ㉠ 421905 > ㉡ 408037
└──── 2>0 ────┘

10 십만의 자리 숫자가 1씩 커지므로 10만씩 뛰어 센 것입니다.

11 $253 \times 40 = 10120$, $276 \times 38 = 10488$
$\Rightarrow 10120 < 10488$

12 나머지는 항상 나누는 수보다 작아야 합니다.
따라서 32보다 크거나 같은 32, 40은 나머지가 될 수 없습니다.

13 ㉠ 삼십사억 천오백육십만
   ⇨ 34억 1560만
   ⇨ 3415600000
㉡ 915470863
   ⇨ 3415600000 > 915470863
   (10자리 수)   (9자리 수)

14 ㉠ 148÷17 ⇨ 14<17 ⇨ 몫: 한 자리 수
㉡ 215÷26 ⇨ 21<26 ⇨ 몫: 한 자리 수
㉢ 867÷45 ⇨ 86>45 ⇨ 몫: 두 자리 수

참고
(세 자리 수)÷(두 자리 수)에서 나누는 수에 10을 곱한 수가 나누어지는 수보다 작거나 같으면 몫은 두 자리 수, 크면 몫은 한 자리 수입니다.
㉠ 17×10=170 ⇨ 148<170 ⇨ 몫: 한 자리 수
㉡ 26×10=260 ⇨ 215<260 ⇨ 몫: 한 자리 수
㉢ 45×10=450 ⇨ 867>450 ⇨ 몫: 두 자리 수

15 $387 \times 30 = 11610$ (m)

16 7050조 600억
⇨ 7050060000000000
따라서 0을 모두 13번 씁니다.

17 (나누는 수)×(몫)의 결과에 나머지를 더하면 나누어지는 수가 됩니다.
$\square \div 37 = 11 \cdots 8$
$\Rightarrow 37 \times 11 = 407$, $407 + 8 = \square$, $\square = 415$

18 5월 한 달의 날수는 31일입니다.
(하루에 하는 줄넘기 수)×(날수)
$= 165 \times 31 = 5115$(번)

19 $145 \div 30 = 4 \cdots 25$
초콜릿 145개를 한 상자에 30개씩 담으면 상자 4개에 담을 수 있고, 25개가 남습니다.
남는 25개도 상자에 담아야 하므로 상자는 적어도 $4+1=5$(개) 필요합니다.

20 천의 자리 숫자가 7인 여섯 자리 수는
□□7□□□입니다.
가장 큰 수를 만들어야 하므로 7을 제외한 수 중에서 큰 수부터 높은 자리에 차례로 놓습니다.
$\Rightarrow 5>4>3>1>0$이므로 천의 자리 숫자가 7인 가장 큰 수는 547310입니다.

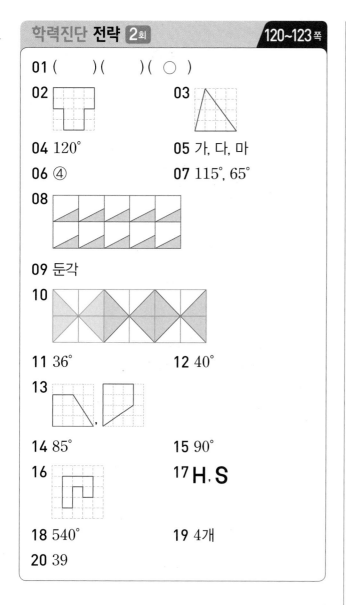

학력진단 전략 2회 **120~123쪽**

01 ( )( )(○)

02 [도형]

03 [도형]

04 120°

05 가, 다, 마

06 ④

07 115°, 65°

08 [도형]

09 둔각

10 [도형]

11 36°

12 40°

13 [도형], [도형]

14 85°

15 90°

16 [도형]

17 H, S

18 540°

19 4개

20 39

---

01 각의 두 변이 많이 벌어질수록 큰 각입니다.

02 도형을 왼쪽으로 밀어도 모양은 변하지 않습니다.

03 도형을 오른쪽으로 뒤집으면 왼쪽과 오른쪽이 서로 바뀝니다.

04 각의 한 변이 안쪽 눈금 0에 맞춰져 있으므로 안쪽 눈금을 읽습니다.

05 각도가 0°보다 크고 90°보다 작은 각을 모두 찾으면 가, 다, 마입니다.

---

06 ① ② ③ ④ ⇨ 둔각이 되도록 그리려면 ④와 이어야 합니다.

07 합: 25°+90°=115°
차: 90°−25°=65°

09 2시 30분 ⇨ [시계 그림]

시계의 긴바늘과 짧은바늘이 이루는 작은 쪽의 각도가 90°보다 크고 180°보다 작으므로 둔각입니다.

10 주어진 모양을 아래쪽으로 뒤집고 그 모양을 오른쪽으로 뒤집기를 반복해서 만든 무늬입니다.

11 ㉠+90°+54°=180°, ㉠+144°=180°
⇨ ㉠=180°−144°=36°

12 삼각형의 세 각의 크기의 합은 180°이므로
㉠=180°−80°−60°=40°입니다.

14 [도형 80°, ㉠ ㉡ 95°]

사각형의 네 각의 크기의 합은 360°이므로
㉡=360°−90°−80°−95°=95°입니다.
직선이 이루는 각도는 180°이므로
㉠=180°−㉡=180°−95°=85°입니다.

15 도형의 위쪽이 왼쪽으로 이동했으므로 시계 반대 방향으로 90°만큼 돌린 것입니다.

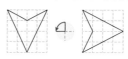

16 도형을 위쪽으로 5번 뒤집은 것은 도형을 위쪽으로 1번 뒤집은 것과 같습니다.

따라서 처음 도형은 움직인 도형을 아래쪽으로 1번 뒤집은 것과 같습니다.

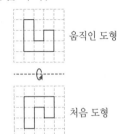

17 각각의 알파벳을 시계 반대 방향으로 180°만큼 돌린 모양은 다음과 같습니다.

H ⇨ H, Y ⇨ ⅄, C ⇨ Ɔ, S ⇨ S

따라서 움직인 모양이 처음과 같은 알파벳은 H, S입니다.

18

도형을 삼각형 3개로 나눌 수 있습니다.

⇨ (5개의 각의 크기의 합)=180°×3=540°

다른 풀이

도형을 삼각형 1개와 사각형 1개로 나눌 수 있습니다.

⇨ (5개의 각의 크기의 합)=180°+360°=540°

19

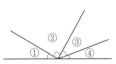

작은 각 1개로 이루어진 예각:

①, ③, ④ ⇨ 3개

작은 각 2개로 이루어진 예각: ③+④ ⇨ 1개

⇨ (크고 작은 예각의 수)=3+1=4(개)

20

 ⇨

처음 수는 95이고 카드를 시계 반대 방향으로 180°만큼 돌렸을 때 만들어지는 수는 56입니다. ⇨ 95-56=39

01 2 kg   **02** 18 kg

03 지은   **04** 1000

05 E6   **06** 7명

07 라면

08 피자, 치킨, 라면, 떡볶이

09 152, 154

10 5

11

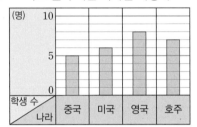

가고 싶어 하는 나라별 학생 수

12 영국

13 다섯째

14 21권

15 빌린 책의 종류별 수

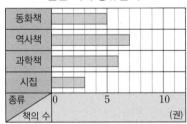

16 4권

17 2시간 10분

18 1000006×4=4000024

19 다섯째

위치에 상관없이 모양을 바르게 그렸으면 정답입니다.

20 15, 17

01 그래프에서 가로 눈금 5칸이 10 kg을 나타내므로 가로 눈금 한 칸은 $10 \div 5 = 2$ (kg)을 나타냅니다.

02 가로 눈금 한 칸은 2 kg을 나타내므로 민영이의 귤 수확량은 18 kg입니다.

03 그래프에서 막대의 길이가 가장 긴 사람을 찾습니다.
⇨ 귤을 가장 많이 수확한 사람은 지은입니다.

04 1103, 2103, 3103, 4103이므로 1000씩 커집니다.

05 ・가로(→)의 규칙: 알파벳은 그대로이고 숫자만 3부터 시작하여 1씩 커집니다.
・세로(↓)의 규칙: 숫자는 그대로이고 알파벳만 C부터 시작하여 순서대로 바뀝니다.

06 세로 눈금 한 칸은 1명을 나타내므로 치킨을 좋아하는 학생은 7칸으로 7명입니다.

07 떡볶이를 좋아하는 학생은 3명이고 학생 수가 $3 \times 2 = 6$(명)인 음식은 라면입니다.

08 막대의 길이가 긴 음식부터 차례로 쓰면 피자, 치킨, 라면, 떡볶이입니다.

09 아랫줄의 수와 윗줄의 수의 차는 10으로 일정합니다.

10 두 수의 덧셈 결과의 일의 자리 숫자를 쓰는 규칙입니다.
$333 + 12 = 345$ ⇨ ■ = 5

11 세로 눈금 한 칸이 1명을 나타냅니다.

12 가장 많은 학생들이 가고 싶어 하는 나라는 막대의 길이가 가장 긴 영국입니다.

13 첫째   둘째   셋째   넷째

점이 1개에서 시작하여 오른쪽으로 2개, 3개, 4개……씩 더 늘어납니다.
따라서 다섯째에 알맞은 도형은 넷째 도형의 오른쪽으로 점이 5개 더 늘어난 모양입니다.

14 $5 + 7 + 6 + 3 = 21$(권)

15 가로 눈금 한 칸은 1권을 나타냅니다.
동화책: 5권 ⇨ 5칸, 역사책: 7권 ⇨ 7칸,
과학책: 6권 ⇨ 6칸, 시집: 3권 ⇨ 3칸

16 역사책: 7권, 시집: 3권
⇨ 역사책을 시집보다 $7 - 3 = 4$(권) 더 많이 빌렸습니다.

다른 풀이
역사책과 시집의 막대의 길이가 4칸 차이가 나므로 역사책을 시집보다 4권 더 많이 빌렸습니다.

17 세로 눈금 한 칸은 5분을 나타냅니다.
월요일: 30분, 화요일: 25분,
수요일: 40분, 목요일: 35분
⇨ (4일 동안 리코더 연습을 한 시간)
$= 30 + 25 + 40 + 35$
$= 130$(분) ⇨ 2시간 10분

18 곱하는 수는 4로 같고 곱해지는 수는 100006에서 0이 한 자리 늘어나고 계산 결과는 400024에서 0이 한 자리 늘어납니다.

19 ○ 표시된 사각형을 중심으로 시계 방향으로 $90°$만큼씩 돌리기 하며 사각형이 1개씩 늘어나는 규칙입니다.

20 ↘ 방향의 두 수의 합과 ↗ 방향의 두 수의 합은 서로 같습니다.

메모

수학 문제해결력 강화 교재

AI인공지능을 이기는 인간의 **독해력 + 창의·사고력 UP**

수학도
독해가 힘이다

새로운 유형

문장제, 서술형, 사고력 문제 등
까다로운 유형의 문제를
쉬운 해결전략으로 연습

취약점 보완

연산·기본 문제는 잘 풀지만,
문장제나 사고력 문제를 힘들어하는
학생들을 위한 맞춤 교재

체계적 시스템

문제해결력 – 수학 사고력 –
수학 독해력 – 창의·융합·코딩으로
이어지는 체계적 커리큘럼

수학도 독해가 필수!
(초등 1~6학년/학기용)

정답은
이안에
있어!